건국 대통령 이승만

건국 대통령 이승만

유현종 실록소설 • **2**

가연

차 례

II

Ⅲ

II

10. 필라델피아발發 독립선언서

헤게모니를 쥐기 위한 박용만의 국민회와 한창 싸우고 있을 때, 제1차 세계대전은 종말을 고하고 연합국의 승리로 굳어져가고 있을 때였다. 누구보다 국제적인 안목과 판단을 중요시하던 이승만이, 그것도 그의 은사인 우드로 윌슨 미 대통령이 약소민족의 독립을 촉구하는 14개 조 세계 평화 원칙을 천명했는데도 거기에 환영하지 않고 이전투구泥田鬪狗만 벌이고 있었다는 건, 평소 이승만의 권력욕의 일단을 드러내고 있다고 그의 반대자들은 두고두고 비난했다.

"이승만의 첫째 결점은 평소의 교만함에 있었다. 그는 누구보다 우수한 두뇌의 소유자였고 학식이 높았다. 하버드, 프린스턴 박사라는 간판이 말해주고 있다. 그런 의미에서 그는 천재였다. 그것이 결점이었다. 어떤 상대든지 한 수 아래로 보고 깔보는 것이다. 따라서 자기 판단만 옳고 남의 의견은 잘 들으려 하지 않는다. 독선적이다. 정치는 우수한 두뇌나 높은 학식만 갖고 하는 게 아니다. 지도자는 민중보다 너무 앞서 혼자 가며 자기 길이 옳으니 자기만 믿고 따라오라 해서는 안 된다. 그렇다고 민중의 뒤를 따라가며 옆으로 가라, 앞으로 가라 하는 지도자는 리더십과 카리스마가 없어 자격이 결여된다. 지도자는 모름지기 향도嚮導가 되어 옆에 서서 걷든지, 아니면 한발만 앞서 이끌고 가면 된다. 그래야만 자기를 따라오는 민중들의 다양한 의견의 숨소리를 경청할 수 있고 종합할 수 있고 판단할 수 있다. 그러나 이승만은 항상 너무 앞서 가고 있었다. 민중들의 의견이 무엇인지 들리지 않는 곳에 멀리 가면서 자신이 판단하고 결정한다. 거기다가 직선적인 성격이고 판단이 끝나면 과감하게 밀고 나가며 타협적이지 못하다."

이승만을 비난하는 반대파에서는 그렇게 힐난했다. 그러나 지지파에서는 손을 흔들었다.

"그건 우남의 성격일 뿐이다. 워싱턴 경찰국에 가서 조사해보면 이 박사의 교통위반 딱지가 많이 나온다고 한다. 교통위반 사항은 거의 전부가 속도위반이다. 누군가가 '박사님은 스피드광입니까?' 하고 물으니 '이 사람아, 천천히 몰고 다녀서야 언제 독립을 찾겠나? 독립이 급해서 달리는 걸세' 하더란 것이다. 물론 훌륭한 정치는 천재가 하는 건 아니다. 지도자를 보좌하는 참모들이 천재들이어야 하지 지도자는 둔재만 아니면 된다. 하지만 국권을 잃고 망국이 된 조국의 독립은 한시바삐 찾아야 하며 그러기 위해서는 자신의 방법이 최선으로 보이는데 그걸 밑에서 구체화시켜줄 수 있는 자기 머리와 동급인 인재들이 없다는 것이다. 독립을 찾을 수 있는 지름길이 보이는데 언제 정당을 만들고 조직화하며 민주적인 절차로 여론 수렴 단계를 거쳐 행동에 옮기느냐! 여론 수렴? 민주주의?

독립이 급하니 독립부터 찾고 나서 장차 가장 민주적인 공화국을 만들어보자. 그 때문에 항상 혼자 앞서 나갈 때가 있는 것일 뿐이다. 그런 성급함과 완급緩急을 조절해주는 인재들이 곁에 있으면 그의 단점은 다 장점으로 바뀔 수 있다. 우남이야말로 자나 깨나 날마다 한시도 잊지 않고 조국의 광복과 독립을 염원하는 애국자이다. 직업을 물으면 그는 언제나 '애국자'라 답한다."

1918년 11월 11일.

드디어 제1차 세계대전이 끝났다. 연합국은 다음 해 1월 18일 파리에서 강화회의를 개최한다고 발표했다. 한국 국내에서는 물론 해외, 미주 한인 교민들은 독립의 기대감으로 술렁이기 시작했다. 이미 우드로 윌슨 미국 대통령은 이른바 민족자결을 주장하는 14개 조 세계 평화 조약을 내놓았던 것이다. 독립의 가능성을 보여준 것은 14개 조 가운데 제5조와 제14조였다.

제5조 식민지와 부속 민족들에 대한 정치적 개량改良은 각기 민족자결民族自決에 의해 이뤄지게 할 것이다.

제14조 국제연맹國際聯盟을 만들어 대소大小 민족을 망라하고 각기 국가의 주권과 영토 보전을 상호 약속할 것이다.

파리강화회의 회의장에 일단 대표는 파견해야 한다는 여론이었다. 그래서 대한인국민회 중앙총회가 소집되었고 그 회의에서 이승만과 정한경鄭翰景, 민찬호閔贊鎬 세 사람을 평화회의 대표로 뽑았다. 정한경은 안창호와 함께 국민회를 창립한 동지였고 민찬호는 이승만이 개척한 한인기독교회 초대 목사였다.

이승만은 곧 1919년 1월 6일 호놀룰루를 떠나 샌프란시스코로 향했다. 그가 하와이로 온 지 6년 만이었다. 샌프란시스코에 도착해서 뉴욕으로 가 파리로 가려 했으나 불행히도 미국 정부는 세 사람의 비자를 내주지 않는 것이었다. 당시 미국 관료사회나 정부에는 일제에 세뇌된 친일 인사들이 많았다.

국민회에서 파리강화회의에 대표를 파견한다는 사실을 이미 알고 일본공사관에서 사전에 공작을 꾸며 파리행을 원천 봉쇄해버린 것이다. 회의 참석은 물거품이 되어버렸다. 민찬호는 하와이 교회로 돌아가고 이승만과 정한경은 서재필을 찾아 앞으로의 일을 상의했다.

"이렇게 되면 즉각적인 독립을 요구할 방법이 없네. 차선책을 찾아보게."

서재필의 말에 이승만은 한숨을 쉬며 되물었다.

"차선책이라면?"

"차후 조선의 완전 독립을 약속해준다면 이번에 결성되는 국제기구인 국제연맹의 한시적인 위임통치도 받을 수 있다, 그것도 독립을 찾는 한 가지 방법이 아닐까?"

"위임통치라고요? 모든 독립운동가들의 한결같은 주장과 소원은 즉각 독립입니다. 그런 마당에 한시적 위임통치라면 모두 반대할 것입니다."

"물론 그러겠지. 하지만 급하면 돌아가라 했네."

국제여론은 한국은 아직 독립하기에 미숙하다는

것이었다. 이 같은 여론을 조작한 것은 일본이었다. 하지만 그 같은 상황은 어쩔 수 없었다. 평화회의 참석조차 할 수 없는 상황에서 즉각 독립을 청원하여 소기의 목적을 이룩한다는 것은 불가능한 일이었다. 그렇다면 차선책으로 국제 위임통치 청원을 해볼 수도 있었다. 그 역시 목적 달성은 어렵다 할지라도 적어도 한국은 일본에 의해 강제로 나라를 잃고 식민지가 되었으므로 한국인들은 일제로부터의 해방과 자주독립을 강력하게 원하고 있다는 것을 국제 여론화할 수 있는 계기는 되지 않느냐는 것이었다.

이승만은 1919년 2월 25일 자로 미 대통령 윌슨에게 조속한 시일 내에 즉각 독립을 위한 한시적 국제위임통치 청원서를 보냈다. 위임통치 청원 건은 뒷날 상해임시정부 반대파로부터 끊임없는 비난을 받는 단초를 제공했으며, 즉각적인 국권 회복을 주장하던 수많은 애국자를 배신한 행위로 지탄을 받기도 했다.

왜냐하면 청원서를 보낸 지 일주일도 안 되어 국내에서 3·1만세운동이 터져 거국적인 독립운동으로 번졌기 때문이었다. 당시 국내 소식을 미주에서 신속히 듣는다는 것은 어려운 일이었다. 3·1운동의 세부 계획을 사전에 알고 있었다면 이승만이 위임 통치 청원서를 보낼 생각을 했을까.

하지만 오비이락烏飛梨落이었다. 나중에야 그 소식을 듣고 이승만은 땅을 치며 자신의 판단 착오를 후회했다. 하지만 이미 지나간 일이었다. 이승만이 3·1운동 소식을 처음 들은 것은 3월 6일 안창호로부터였다. 안창호는 당시 상해에 있던 현순으로부터 전보를 받아 알게 되었던 것이다. 이승만은 즉시 미 국무부에 전보를 보냈다. 무저항 평화적 독립운동 시위를 벌이고 있는 한국 내의 국민이 희생되거나 탄압받지 않도록 미국 정부가 인권 차원에서 적극 중재하고 간섭해주기 바란다는 내용이었다.

3·1만세운동은 각지에 임시정부가 들어서는 계기를 마련해주었다. 가장 먼저 세워진 것이 4월 5일 만주 '대한공화국 임시정부'였으며 조각명단組閣名單이 알려졌다. 대통령 손병희, 부통령 박영효, 국무경國務卿 이승만, 내무경 안창호, 탁지경 윤현진,

법무경 남형우, 군무경 이동휘, 강화전권 대사 김규식.

두 번째가 노령지역의 대한국민의회 임시정부, 세 번째가 상해 임시정부4월 11일, 네 번째가 신한민국 임시정부4월 17일, 다섯 번째가 한성 임시정부4월 23일 등 5개 임시정부였다. 5개의 임시정부 각료 명단에서 이승만은 세 군데에서 국무총리로, 한 군데에서는 부통령급으로, 한 군데한성 정부에서는 집정관 총재 執政官 總總로 올라 있었다.

특이한 사항은 5개의 임시정부 각료 명단에서 3개의 정부 대통령에 이름이 오른 인물은 손병희 孫秉熙가 유일했다. 손병희는 청주 아전 출신으로 일찍이 동학 농민 전쟁에 참전했고 천도교 대표로 독립선언 33인 민족 대표 중 하나였다. 그가 대통령으로 추대된 것은 천도교 조직이 가장 탄탄했고 무엇보다 자금이 풍족했기 때문이었다.

그런데 임시정부는 나중 2개가 더 생겨나 모두 7개나 되었다. 이들 중에서 실체가 있던 임시정부는 상해임시정부가 유일했다고 볼 수 있었다. 상해 임정이 출범한 것은 1919년 3월 4일이었다. 망명 중인 우국지사들이 상해, 프랑스 조계租界 내에 임시 사무소를 설치하면서부터였다.

이승만계인 현순이 총무를, 춘원 이광수가 서기, 여운홍이 통신 서기, 신규식과 신현민이 서무를, 김철과 선우혁이 재무를 맡았다. 천도교 측이 자금을 대기로 했기 때문에 손병희를 대통령에, 박영효를 부통령에, 이승만을 국무총리로 내정했다.

상해 임정이 힘을 얻고 정통성을 확보하게 된 것은 노령에서 이동휘 계열의 강대현이 각료 명단과 규약을 들고 나타났고, 이어서 국내에서는 이봉수가 주요 인사들을 두루 만나 의견을 취합하여 상해로 왔고, 그 외 미주, 노령 등지의 동지들 30여 명이 상해에 모여 제1회 임시 의정원국회 회의를 개최하게 되면서부터였다. 철야로 계속된 회의는 이튿날 오전에야 끝이 났고 드디어 4월 13일 '대한민국임시정부' 수립이 공식 선포되었다. 의정원 회의에서는 대통령과 부통령의 자리는 비워두기로 하고 좀 더 시간을 두고 심사숙고한 뒤에 추대키로 했다. 정부 조직은 대통령제가 아니고 내각책임제(內閣責任制)였다.

따라서 국무총리가 정부 수반이 되기로 했는데 총리는 이승만이 지명을 받게 되었다. 그 소식을 전달 받은 이승만은 즉시 자신에게 신임장과 공채발행권을 보내달라고 요청했다. 미국 정부를 비롯하여 각국 정부에 대한민국임시정부의 승인을 받아내겠다는 것이었다. 공채발행권을 요구한 것은 정치활동 자금 마련을 위해서였다. 그러나 이제 사무실만 하나 만든 임정으로서는 이승만의 요구에 발 빠르게 응할 수가 없어 미루었다. 일본은 한국 내에서 독립만세운동이 일어나자 국제 여론이 나빠질까 봐 미국 언론에 공작을 꾸미며 '한국은 자치는 물론 독립의 능력이 없다. 따라서 일본의 보호정치가 필요하다'는 기사들을 이곳 저곳에서 신문 기사로 쏟아져 나오게 하였다. 여기에 맞서기 위해 이승만은 서재필과 대책을 논의했다.

"서 박사님! 우리 미주 한인들도 하나로 모여 독립 선언을 하는 집회를 열었으면 합니다만."

"좋은 생각일세."

"LA에서 모일까요?"

"기왕이면 필라델피아에서 하는 게 좋지 않을까?"

"그렇군요. 미국의 독립선언을 한 곳은 필라델피아였지요. 그곳에서 하는 것이 의미 있겠습니다."

이승만은 곧 제1차 필라델피아 한인회의를 조직했다. 그를 도와 동분서주하며 도와준 사람들은 당시 동부지역에 유학 와 있던 한국 학생들이었다. 그들은 임병직전 외무부장관, 조병옥전 민주당 대통령 후보, 유일한유한양행 전 회장, 장기영전 체신부장관 등이었다.

한인회의는 4월 14일부터 16일까지 3일 동안 필라델피아 공회당에서 한인 대표 120명과 T. 스미스 필라델피아 시장, 네브래스카 주 상원의원 노리스, 미주리 주 상원의원 스펜서 그리고 INS 통신의 제롬 윌리엄스 기자 등이 참석하여 성황을 이룬 가운데 열렸다. 먼저 회의는 미국이 독립을 선포할 때 울려나간 '자유의 종'을 타종하는 순서를 시작으로 진행되었다. 독립선언 제1차 한인 자유대회라 명명된 회의에서는 일제의 억압에서 벗어나 자주독립을 찾아야 하며 장차 건설될 한국은 미국처럼 자유민주주의를 실현하는 민주국가가 되어야 한다는 강령鋼슈을 채택하고 대한공화국임시정부 대통령 손병희에게 보내는 결의문을 낭독하고 3일간의 회의를 마쳤다.

그런 다음 대회장에서 2킬로미터쯤 떨어진 인디펜던스 홀까지 행진을 벌이기로 했다. 인디펜던스 홀은 140년 전 미국이 독립을 선포했던 유서 깊은 곳이기도 했다. 참가자 전원은 때마침 내리는 비를 맞으며 그곳까지 행진하고 대회를 마감했다. 대회가 끝나자 이승만은 실망을 감추지 못했다. 각처에서 온 한인 대표들의 추태가 한둘이 아니었던 것이다. 자기들 이익을 위해, 혹은 상대방을 헐뜯기 위해 설전을 벌이는가 하면 파벌만 내세우는 등 그들을 하나로 묶어내는 일은 정말로 힘들고 어려운 일이었던 것이다. 회의의 가시적인 성과는 이승만과 서재필이 원했던 영문 잡지 〈한국평론Korean Review〉을 창간하기로 한 것 정도였다. 〈한국평론〉은 서재필에 의해 향후 3년 동안 속간되었다. 필라델피아 대회를 성공적으로 마친 이승만은 임병직과 함께 워싱턴으로 돌아왔다. 당시 임병직은 오하이오

대학 2학년에 재학 중이었는데 이승만은 자기 비서로 일해달라고 부탁했다. 임병직은 승낙했다. 이승만은 1919년 5월, 워싱턴에 사무실 얻고 '한국위원회'라는 간판을 내걸었다. 방 하나는 자신의 집무실로 또 하나는 비서실로 사용하기로 했다. 급한 것은 미국 정부에 먼저 임시정부 승인을 요청하는 등의 본격적인 정무를 시작하는 것이었다.

11. Republic of Korea, President Rhee

필라델피아 한인대회가 끝나고 5월 하순경이 되었을 때 이승만은 집무실에서 반가운 친구를 만나게 되었다. 서울 배재학당 교장이던 죽마고우 신흥우가 미국인 선교사 벡S. A. Beck과 함께 찾아온 것이었다.

"야, 남산골 개구쟁이 신흥우 교장께서 멀리 오셨구먼?"

신흥우는 도동 서당을 함께 다닌 어릴 적 친구였고,

이승만을 배재학당에 데리고 가서 맨 처음 수업을 참관케 한 친구였다.

"얼마나 고생하는가? 필라델피아 대회는 성공적이었겠지?"

"말 말게. 외견상 성공이지만 내면은 한인 대표들의 진흙탕 싸움이었네. 가는 곳마다 서로 헐뜯으며 단합을 못 하니 왜 그러지?"

"당쟁黨爭 하던 버릇이 남아서 그럴 거야. 그걸 고쳐야 하는데 말이야."

신흥우는 그렇게 함께 걱정하며 가방 속에서 서류 뭉치를 꺼내어 주었다.

"이게 뭔가?"

"음, 보면 알걸세. 중요한 기밀서류지. 3·1독립선언서도 들어 있고 전국의 만세운동 동향과 일제의 가혹한 탄압과 투옥 사실들이 기록된 서류와 한성임시정부 결성 경과 내용, 그리고 내외에 선포된 한성정부의 선전 문건 등등일세."

"이 위험한 걸 어떻게 국내에서 가지고 나올 수 있었지?"

"내가 휴대할 수야 없었지. 함께 나온 벡 선교사 짐 속에 교묘히 숨겨 나온 것일세. 사실 벡 선교사님은 서류를 전하려고 일부러 나와 동행하신 것일세."

"고맙습니다."

이승만이 거듭 벡에게 머리 숙여 감사를 표했다.

"그렇지 않아도 3·1운동 이후의 국내 사정이 깜깜한 터에 굉장한 도움이 되겠습니다. 이 문건들을 바탕으로 일제의 만행과 독립의 당위성을 미국 각계에 선전하겠습니다."

"도움이 된다니 고맙습니다. 이 문건들을 이 박사 님께 은밀히 전해주라 하신 분은 이상재 선생이십 니다. 안부 전하라 하셨습니다."

그러면서 다른 곳에 숨겨둔 문서 하나를 찾아내어 내놓았다.

"이건 뭐지요?"

"한성임시정부 조각명단일세. 자네는 한성정부 집정관 총재가 되었네. 대통령과 동의어同義語이겠지. 정부 수반 명칭에 대통령이 없고, 접정관 총재란 명칭을 쓰고 있네."

25

신흥우의 말이었다. 5대 임시정부가 생겨났다는 정보는 신문 보도를 통하여 알았지만 이처럼 인편으로 직접 듣기는 처음이었다.

"어떻게 해서 내가 총재가 되었는지 얘기해보게."

이승만의 궁금한 물음에 신흥우가 소상히 설명해 주었다. 이승만이 한성감옥에서 영어囹圄 생활을 할 때 기독교로 개종시킨 죄수는 모두 40명에 이르렀었다. 그중에는 정치적 동지나 선배들도 들어 있었다.

이상재李商在도 그중 한 사람이었다. 이상재는 일찍이 개명한 관료로 미국에서 서재필이 오자 그와 함께 독립협회를 조직하고 개화운동에 앞장선 인물이었다. 이상재는 이승만을 누구보다 아끼고 존경했다. 이상재는 이승만보다 25세 연상이었으니 부자간이라 해도 어울릴 나이였고, 이상재의 아들인 부여군수 이승인도 승만보다 다섯 살이나 연장이었다.

국내에 남아 있던 이상재는 기독교 전도 운동에 헌신하였고 3·1운동 후 한성임시정부를 만드는 데도 주도적 역할을 했다. 한성정부의 주체 세력은 서울과 기호지방畿湖地方을 근거로 한 기독교 세력이었다.

"집정관 총재는 대의원 총회에서 민주적인 방법으로 투표로 결정이 되었네."

이승만은 투표로 뽑혔다는 사실에 가슴 뿌듯해했다. 두 사람이 돌아간 뒤 이승만은 즉시 한성정부 집정관 총재로서의 외교 활동을 벌이기 시작했다. 그동안 미국 정부를 통한 외교는 번번이 막혀서 소득이 없었다.

이승만은 방법을 달리하기로 했다. 외곽을 때려서 중심이 흔들리게 하자는 것이다. 소위 재야의 여론 지도층을 끌어들여 단체를 만들고 미국 정부나 의회에 압력을 가할 방법을 택하기로 했다. 이른바 '한국 우호연맹國友好聯盟, League of Friends of Korea'을 창설한 것이었다.

한국을 사랑하고 자신을 지지하는 미국 내의 유력 인사와 오피니언 리더Opinion Leader들을 하나로 뭉치게 하자는 것으로 19명의 인사가 참석하여 필라델피아 인근에 있던 리딩 시에서 1919년 5월 5일에 F. 톰킨슨 목사를 회장으로 하여 발족이 되었다. 연맹을 조직하는 데는 비서인 임병직과 김규식, 정대영, 동면 등의 협력이 큰 역할을 했다. 한국 우호연맹은 그 후 워싱턴을 비롯하여 미국 내 19개 도시에 만들어졌으며 1920년에는 런던에도 만들어질 만큼 활발한 활동을 벌였다. 이승만은 1919년 한 해를 우호연맹 지부를 돌아다니며 강연회를 개최하는 데 보냈다.

이때부터 이승만을 도와준 미국인들 중 변호사인 J. 스태거스와 F. 돌프 그리고 INS국제뉴스서비스통신 기자 T. 윌리엄스 등은 평생 친구가 되어 이승만을 도와주었다. 한국 우호연맹은 이승만에게는 아주 중요한 정치적 발판이 되어주었고 지원 세력이 되어주었다.

이승만은 언론을 통한 항일운동을 지속적으로 전개했다. 그해 5월 8일 자 〈뉴욕 타임스〉에는 래드라는 미국인 교수가 쓴 칼럼이 실렸다. 칼럼에서 그는 한국에서 일어난 3·1운동은 불만 세력의 미미한 시위에 불과하고 한국은 독립 자치의 능력이 없다고 썼다. 그는 일본 정부에 매수된 교수였다.

이승만은 즉시 장문의 반박문을 〈뉴욕 타임스〉에

실어 통박을 가했다. 학자는 양심을 가져야 한다. 한국에 대하여 뭘 얼마나 알고 있는가? 일본의 침략 근성이 어느 정도인지 알고서 하는 소리인가. 한국은 수천 년 동안 단일민족으로 단일국가를 이루며 자주 독립을 유지해온 문화민족 국가이다. 독립 자치의 능력이 충분한데도 능력이 없다고 평가절하하는 것은 일본 제국주의자들의 합리화에 맞장구를 쳐주는 거나 다름없다.

이승만의 반박문은 화제를 불러일으켰다. 그는 더 나아가서 일본 천황 앞으로 대한 한성정부의 국서 國書를 보내는 사건을 만들었다. 국서는 경술국치로 한국은 잠시 일본에 의해 국권을 잃었지만, 광복을 위해 한성에서 전 국민의 염원으로 임시정부가 세워 졌다. 상고시대 이래로 일본은 한국 문화를 받아 발전한 가까운 이웃이었다. 국체를 빼앗은 것을 사과하고 한성임시정부를 승인해주기 바란다. 이런 내용이었다. 이승만은 심혈을 기울여 국서를 만들어서 비서 임병직에게 일본대사관에 전달토록 했다. 그들이 접수 거부를 하더라도 거부 이유와 국서 내용은 언론에 보도될 것이고 그리되면 최소한 소기의 목적은 달성한다고 보았던 것이다. 그 전략은 적중했다. 여기에서 나중 문제가 된 것은 이승만의 직위職位에 대한 영문 표기였다.

현재도 쓰고 있는 'Republic of Korea'의 국명은 그때부터 처음으로 이승만이 쓴 것이지만 '집정관 총재'의 영문 해석을 'Chief Executive'라 해야 함에도 'President'라 표기했다는 것이다. 집정관 총재와 대통령은 같은 의미이기는 해도 격이 다르다는 것이 반대파들의 비난이었다.

그들은 그걸 꼬투리 삼아 '이승만은 대통령병 병자', '자칭 대통령'이라 비아냥거렸지만, 당사자인 이승만은 눈 하나 깜박하지 않았다. 임시정부는 탄생했고 우방 각국의 승인을 받으려면 공한을 보내고 외교문서를 보내야 하는데 총재면 어떻고 대통령이면 어떠냐, 시간이 없다. 빨리 활동을 전개해야 하지 않는가. 게다가 미국이나 서방 국가들을 상대하려면 그들 국가 원수와 동등한 권위가 필요하다. 그래서 사용한 것이라 했다.

이승만의 대통령 직함 사용에 대한 갑론을박은 상해임시정부에서 터져 나왔다. 노령, 상해, 한성 임시정부 등 3개의 임시정부를 하나로 통합하기 위해 대표들이 모였는데 정통성을 두고 토론이 벌어졌다. 결국, 한성정부가 정통임을 인정받고 그 법통을 잇는 것으로 결론이 났다.

그렇게 되자 한성정부의 집정관 총재였던 이승만은 자동으로 상해 임정의 수반이 되었다. 그러기 전에 이승만의 대통령 행세를 문제 삼은 것은 안창호였다. 앞으로 쓰지 말라고 이승만에게 전보를 보내기로 회의에서 결정하고 통보했다.

"임시정부 어느 정부에도 대통령 직함이 없으므로 귀하는 대통령이 아닙니다. 헌법을 개정하지 않고 대통령 행사를 하면 신조를 배반하는 것이니 대통령 행사를 하지 마시오."

안창호의 전보를 받은 이승만은 다음과 같이 회신 했다.

"이미 나는 대통령이란 직함으로 각국에 국서를 보냈고 한국 사정을 발표하였기에 지금 와서 대통령

직함을 변경하지 못하겠소. 만일 우리끼리 떠들어서 일치하지 못한 소문이 세상에 전파된다면 큰 방해가 될 것이며 그 책임이 당신들에게 돌아갈 것이니 떠들지 마시오."

이승만이 거부하자 안창호는 일단 국무총리 자격으로 상해에 와줄 것을 권고했다.

"와서 상론합시다. 3·1운동 직전에 미국에 낸 위임통치 청원 사건 때문에 상해에 모인 각 대표 모두가 당신을 성토하고 비난했습니다. 그건 만세 전 사건이니 덮어두자는 나의 제의에 응하지 않다가 이제야 조용해졌습니다. 그러니 지금 상해로 오시오. 내가 책임지고 입을 다물게 하겠소."

하지만 이승만은 가지 않겠다고 버텼다. 대통령 직함으로 이미 한성정부 탄생을 각국에 선포했으므로 안창호가 말하는 국무총리로는 갈 수 없다는 것이었다. 이승만이 버티자 국민회의파에서는 상해 임정에서 이승만을 숙청하자고 나섰다.

난처해진 안창호는 이승만을 제외한다는 것은 미주 한인 세력을 제외한다는 말이고 그리되면 그나마 독립운동의 자금줄이 막힌다는 말이니 양보하자고 설득했다. 이승만이 대통령이 된 것은 안창호의 배려와 양보 덕분이었다. 상해임시정부는 의정원 회의 끝에 정부 개조안을 제출하고 내각제를 대통령제로 고치고 우여곡절 끝에 이승만을 임시 대통령에 임명했다. 이승만은 비로소 날개를 달게 되었다. 당시 미주 한인은 1만여 명이었다. 이승만이 대통령이 됨으로써 미주 동포들은 임정은 물론 독립 운동에 경제적으로 많은 도움을 줄 수 있게 되었고 이승만은 그들을 대표하는 지도자를 겸할 수 있게 되었다.

이승만은 한국위원회를 '구미위원부'로 확대 개편하고 파리강화회의를 참관하고 돌아온 김규식을 위원장에 임명하고 본격적인 임시정부 해외 정무를 시작했다. 첫 번째 시도한 정무는 '한국 독립안'을 미 의회에 상정하여 통과시켜보자는 것이었다. 미국 의회는 1920년 3월 베르사유조약 비준을 위해 열리고 있었다. 그 비준안과 동시에 윌슨 대통령이 내놓았던 민족자결 원칙에 따라 약소국의 독립안도 상정할 수 있게 되었던 것이다. 한국 독립안은 아일랜드 독립안과 함께 드디어 본회의에 상정되었다.

　아일랜드 독립안은 38 대 36으로 찬성 가결되었으나 한국 독립안은 34 대 46으로 아깝게 부결되고 말았다. 비록 부결은 되었지만 사기충천하게 한 결과였다. 가결하기 위해 이승만은 평소 친하게 지내던 미주리 출신 상원의원 스펜서와 네브래스카 주 출신 상원의원 노리스 등을 동원하고 '한국 우호협회' 조직을 가동하여 그래도 34표라는 가표를 얻었으니 의미 있는 성과였다. 그러나 상해 임정 요인들의 불만은 고조되고 있었다. 미국에서 대통령 행세만 하고 있을 뿐 이승만은 임정에 대해서는 나 몰라라 하고 있었던 것이다. 요인들은 이동휘를 대통령에, 안창호를 국무총리로 하는 쿠데타를 계획하기도 했지만, 안창호의 강력한 반대에 부딪혀 주저앉고 말았다. 그 대신 3월 22일, 임시의정원은 '대통령 내도來到 촉구안'을 만장일치로 채택하고 속히 상해로 오라는 전보를 보냈다. 때마침 상해에서 미국으로 온 측근인 현순 목사에게서 불온한 상해 현지 소식을 들은 이승만은 상해행을 더 미루어서는 안 되겠다는 결심을 하게 되었다.

6월 22일.

이승만은 상해로 가기 위해 샌프란시스코로 향했다. 일단은 하와이로 건너가기로 했다. 미국 경찰은 이승만이 하와이행 모노아호에 승선할 때까지 경호팀을 붙여주었다. 이는 망명정부 임시 대통령에 대한 예우이기도 했다.

그가 하와이로 먼저 간 것은 상해로 가는 배편을 알아보기 위해서였다. 모든 여객선은 일본을 거쳐 가게 되어 있었다. 일제는 이승만의 목에 30만 달러의 현상금을 걸어놓고 있었다. 그런 마당에 일본을 경유하는 배를 탔다가는 위험천만했던 것이다. 이승만은 호놀룰루에서 장의사葬儀社를 하고 있던 백인 친구 W. 보스윅Willam Borthwick을 찾아갔다. 보스윅은 이승만의 숨은 후원자이기도 했다. 이승만은 그에게 상해행 배편을 알아봐달라 청했다.

"30만 달러가 목에 걸려 있으면 안 되겠소. 상해로 직항直航하는 배를 알아봐야겠군요. 염려 마시고 펄

하버에 있는 내 별장에 가서 편안히 쉬고 계십시오.”

이승만은 그의 별장으로 가서 모처럼 휴식을 취했다. 보스윅은 장의사이기도 했지만, 하와이 부속 도서島嶼의 징세관徵稅官을 겸하고 있었다. 배편을 알아보고 난 보스윅이 이승만에게 알려주었다.

“상해로 직접 가는 배는 목재 운반선인데 그 배는 대만을 경유하게 되어 있습니다. 거기서 목재 일부를 하역하고 상해로 가는 거지요.”

“대만이라고 했소? 거기도 일본 식민지요. 왜놈 관헌들이 지키고 있을 겁니다.”

“그렇군요. 그럼 어떡한다?”

“다른 배는 없을까요?”

“있기는 합니다만 권하고 싶진 않습니다.”

“왜지요?”

“혐오스럽다고 원망하실까 봐 그럽니다.”

“찬밥 더운밥 가릴 때가 아닙니다. 대체 무슨 배인데 그러시오?”

보스윅은 잠시 망설이다가 이승만의 눈치를 보며 말했다.

"시체 운반선입니다."

"뭐요? 시체?"

중국인 노동자들의 시체입니다. 이 사람들은 화장을 싫어하여 그냥 실어가기를 원합니다. 시체를 소금에 절여 채워 가는 거지요."

"상해로 직접?"

"그렇습니다."

"좋소. 그 배를 타기로 합시다."

이승만이 시원스럽게 결정을 내렸다. 마침 비서 임병직이 호놀룰루에 뒤미쳐 도착했다. 그는 임병직을 대동하고 부두에 나가 밤이 깊어지기를 기다렸다. 시체 운반선은 네덜란드 선적인 '웨스트 하이카호'였다. 그 배는 마치 유령선처럼 검은 바다 위에 떠 있었다. 이승만과 임병직은 근처에 숨어서 밤이 깊어져 인적이 없어지기를 기다렸다.

"됐다. 줄사다리를 타고 갑판으로 올라가 숨자."

두 사람은 배 옆구리에 걸린 사다리를 타고 재빨리 갑판으로 올라가 숨었다. 배는 이튿날 아침인 11월 16일에 출항했다. 두 사람은 선원들의 시선을 피하여 선실을 지나 창고 안으로 들어갔다. 시체를 넣은 관들이 쌓여 있는 창고라서 누구도 접근하지 않는 곳이었다. 두 사람이 발각된 것은 만 하루가 지나서였다. 두 사람은 일등항해사 앞으로 끌려갔다. 남루한 중국인 복장을 하고 있어서였는지 항해사는 중국인으로 알았다. 임병직이 처량한 목소리로 밀항密航하게 된 이유를 영어로 설명했다.

"이분은 내 아버지신데 말을 못 하는 벙어리이십니다. 우리 부자는 오하우 섬 농장에서 일했는데 계약 기간이 지났다고 나가라 했습니다. 그런데 마침 상해에 계신 저희 어머니가 죽을병이 들어서 오늘내일한다는 전보를 받고 어머니한테 필요한 약을 구해서 가기로 했는데 선비船費가 없어서 그만……."

말을 잇지 못하고 흐느끼자 항해사는 불쌍한 듯 고개를 주억거렸다.

"좋다. 바다에다 던져 수장시킬 수도 없고. 오늘부터 두 사람은 선실 청소를 한다."

"고맙습니다."

항해사의 배려로 두 사람은 무사히 배를 타고 가게

되었다. 40일간의 항해 끝에 배는 상해 부두에 닻을 내렸다. 두 사람은 배의 상륙 허가 수속이 끝난 후 다른 인부들 틈에 끼어 시체를 담은 관을 떠메고 밖으로 나갔다. 부두에는 임정 관계자가 마중 나와 있었다. 두 사람은 그를 따라 재빨리 골목길로 나섰다. 혹시 미행자가 있을지 모른다며 임정 사무실로 직접 가지 않고 영국 조계에 있던 맹연관孟淵館이란 여관에 들어 이틀 동안 묵었다. 그런 다음 프랑스 조계에 있던 임정 사무실上海市 法曹界 馬浪路 普慶里 4號로 인도되었다.

12. 영욕榮辱의 1년 6개월,
임정臨政 대통령

임시 대통령 이승만이 도착했다는 소식이 전해지자 임시정부는 아연 활기를 띠게 되었다. 이승만은 3주간쯤 임정 요인들을 하나하나 만나며 임시정부 내부에 대한 자세한 사정을 익혔다. 그리고 정부 내의 현안들을 꼼꼼하게 챙겼다.

임정 수립 1년이 지났는데도 해놓은 일이 아무것도 없었다. 각 파벌 간의 이해 상관이 얽혀 있는 데다가 각기 출신과 성향이 전혀 다른 사람들이 모여 있어서 언제나 한목소리를 낼 수가 없었다. 게다가 재정적인 수입이 없으니 손을 놓고 있을 수밖에 없었다.

"예상하고 있던 것보다 더 심각하군요. 그냥 이름뿐인 임시정부입니다. 만나는 분은 모두 우국지사인데 입으로만 애국하고 있어요. 어디서부터 손을 대야 할지 모르겠습니다."

비서 임병직의 말이었다. 이승만도 동감이었다. 드디어 이승만이 상해에 도착하고 나서 처음으로 이승만 임시 대통령 환영회가 12월 28일에 열리게 되었다. 임정 요인들을 비롯하여 많은 교민이 참석하여 환영했다. 그들은 한결같이 이승만이 가지고 온 선물에만 관심이 있었다. 그 선물은 두 가지였다. 첫째는 상해임시정부의 존재를 만방에 알리고 일본의 간담을 서늘하게 할 만한 획기적인 계책이나 방안 등을 내놓기 바라는 것이고, 둘째는 그게 아니라면 당장 재정적인 어려움으로 고통을 받고 있으니 넉넉한 자금을 가지고 왔거나 아니면 대통령쯤 되었으니 책임지고 장차 자금 댈 만한 전주錢主들을 잡고 있다는 반가운 소식을 듣는 것이었다.

그러나 빈손으로 온 이승만으로서는 할 말이 없었다. 다만 미주 동포들이 전하는 감사의 소식 정도이고 장차 임시정부가 나아갈 길에 대한 원론적인 환영 답사가 다였다. 예상한 대로 참석자들은 모두 실망했다. 그 실망을 역이용하기 위해 치고 나선 사람은 국무총리 이동휘였다. 며칠 후 새해1921년가 되어 신년하례식을 하고 5일이 되어 제1차 국무회의를 열게 되었을 때였다. 이동휘는 의제에도 없던 '이승만의 위임통치 청원 문제'를 들고나와 새삼스럽게 문제 제기를 했다.

민족 전체가 즉각적인 독립을 되찾아야 한다며 만세 시위를 벌이고 피를 흘리며 싸우는데 미국에 앉아서 강대국의 위임통치를 받아들이겠다는 청원서나 미 정부에 제출한 이승만의 반민족 반역 행위에 대해 이제껏 정식으로 징계하지 않았다. 이제라도 짚고 넘어가자, 그것이 이동휘파의 주장이었다.

이승만은 그 위임통치 청원 사건은 3·1운동 이전에 있었던 일이며 이미 완전 독립을 담보로 한 것이니 방법에 차이가 있을 뿐이었고 지나간 일인데 왜 새삼스럽게 다시 들추어내는가. 그 속에 불순한 정치적 계산이 깔려 있지 않다면 국무회의 의제가 아니니 그냥 넘어가자 했다.

그러나 이동휘는 강경한 태도를 누그러뜨리지 않았다. 이때 경무국장警務局長 김구金九가 중재를 섰다.

"첫 번째 국무회의라 중요한 안건이 많습니다. 우리 임시정부의 문지기인 일개 국장이 국무위원도 아니면서 월권을 한다고 나무라실 수도 있으나 회의의 원만한 진행을 위해 감히 한 말씀 드립니다. 이 박사의 청원 사건은 기미만세운동 이전에 있었던 사건이라면 임시정부 수립 전에 있었던 과거 지사이고, 대통령이 되기 전에 있었던 일이니 여기서는 사과 정도로 마무리하시고 넘어가는 게 좋을 듯싶습니다."

이동휘는 김구의 말대로 일개 국장이 나서서 이래라저래라 한다고 화를 냈으나 다른 위원들이 김구 편을 들고 무마시키는 바람에 그 사건은 더 확대되지 않고 잠잠해졌다. 이승만이 김구를 처음 만난 것은 상해에 와서였다. 김구는 경찰 업무를 담당하는 경무국장이었다. 이승만을 보자 김구는 오랫동안 존경해 왔다며 친근감을 보였다. 이승만이 독립협회와 만민공동회에서 민주적 개화를 부르짖으며 가두 정치를 하다가 한성감옥에 투옥되어 5년 7개월 동안이나 옥살이한 것은 어쩌면 자기와 비슷한 과거이기에 동병상련同病相憐의 동지애를 느끼고 있었다.

김구는 1911년 압록강 철교 개통식에 참석 예정이던 데라우치寺內正毅 총독을 암살하려던 안명근 사건에 연루되어 17년 형을 선고받고 복역하다가 7년 만에 감형을 받아 석방된 후 상해로 온 애국지사였다. 그는 이승만보다 한 살 아래였지만 언제나 깍듯이 형님으로 불렀다. 그러나 이동휘는 몇 주 후 다시 열린 제2차 국무회의에서 대통령 궐석闕席에 따른 정무 처리 문제를 다시 들고 나왔다.

"임정이 수립된 뒤 대통령께서는 국무총리로 추대되었고 급기야는 대통령으로 추대되었는데도 정부가 있는 상해에는 1년이 넘어서야 왔소이다. 대통령이 부재한 정부가 잘 돌아갈 리가 있소? 대통령이 상해에 없을 때는 국무총리에게 전권을 위임하는 게 옳다고 봅니다. 위임하시지요."

그러나 이승만도 지지 않고 맞섰다. 미국에서 활동하는 대통령을 허수아비로 만들고 총리가 상해에서 전권을 행사하겠다는 뜻이었기 때문이었다.

"그런 요구는 받아들일 수 없소. 이 시점에서 대미 외교가 우리나라에 얼마나 중요한 일인지 몰라서 하는 소리요. 미국에 있건 상해에 있건 대통령으로서의 소임은 다 잘할 수 있습니다."

그러자 이동휘는 더는 이승만과 국무위원을 함께 할 수 없다며 1월 26일 사표를 내버렸다. 마치 미리 짜고 있었던 것처럼 김규식 학무총장이(이승만에 의해 구미위원부 회장직을 맡았던 김규식과는 동명이인同名異人이다) 사표를 냈고, 이어서 노백린 군무총장, 안창호 노동국 총판 등이 동반 사표를 제출했다.

내각이 붕괴되고 정부가 위기에 몰렸다.

"각하! 특단의 조치를 취하셔야겠습니다. 제가 보기에는 각하의 축출을 위한 서곡으로 보입니다. 이동휘 씨를 새 대통령에, 안창호 씨를 총리로 앉히기 위한 쿠데타 계획을 수립했다가 안창호 씨의 만류로 뜻을 접었다 하지 않습니까? 칼집 속에 넣어두었던 그 계획의 칼을 다시 빼어 든 것 같습니다."

비서 임병직의 진단이었다.

"임 비서! 내가 조사하라 한 것들은 어찌 되었나?"

"예, 이게 박사님 지지자 명단입니다."

임 비서가 내어놓은 서류철을 검토하고 난 이승만은 깊은 한숨을 내쉬며 고민에 빠졌다. 임정 내외에 드나드는 망명 지사 중에 자신의 편이라고 가려놓은 민족진영의 숫자는 전체의 4분의 1도 안 될 만큼 적었다. 안창호의 국민회나 이동휘의 공산당 계열은 다수를 차지하고 있었다. 아무런 지지 세력도 없는 이승만이 그들과 맞서기에는 역부족이었다. 이동휘가 강하게 밀고 나오는 것은 바로 그 힘을 믿고 있기 때문이었다. 이승만의 텃밭은 미주나 하와이, 국내의 기독교계 세력이었다. 하지만 상해는 아니었다.

그러나 각료들의 집단 항의에 맥없이 물러날 이승만은 아니었다. 며칠 후가 되자 이동휘의 사표를 수리해버렸다. 그런 다음 내무총장 이동녕을 총리 대리에 임명하고 2월 28일 제8회 의정원 본회의를 개최하여 대통령 이승만은 교서敎書를 발표하고 정부의 행정 쇄신과 예산제도의 확립, 외교정책 수립 등 정부 현안을 의결했다. 그리고 어떤 정파이건 개인이건 차후부터는 정부 일에 간여하려면 소정의 민주 절차를 거쳐야만 할 수 있도록 못을 박았다. 시도 때도 없이 자기들 정파나 개인의 이익을 위해 무불간섭하여 임정을 혼란스럽게 하는 행투에 쐐기를 박은 것이었다.

한편 이동휘의 사표를 수리해버리자 이승만의 반대파들은 사전에 이동휘를 비롯한 안창호, 김규식, 노백린 등 각료들을 이해로 설득하고 끌어안고 갈 수 있는 대통령으로서의 아량과 포용의 덕을 보여야 함에도 기다렸다는 듯 사표부터 수리하여 임정의 파탄을 앞당겼다고 비난했다.

그로부터 1년 후 이동휘의 총리 면직은 누구도 항의할 수 없는 분명한 범법 사실이 있었지만 아직은 이동휘의 위세가 당당하였다. 이승만은 막다른 골목으로 몰리고 있었다. 무장투쟁보다는 국제 외교 전략을 구사하여 독립을 앞당길 수 있다며 최선을 다해 활약했지만, 사실은 반대파들의 말처럼 이렇다 할 성과를 올리지 못한 것이다. 게다가 북경에서는 박용만, 신채호申采浩 등 무장투쟁파들이 '조선군사통일회'를 열고 이승만의 위임통치 청원 사건에 대해 규탄하고 아울러 그런 이승만의 사정부가 된 임정도 인정할 수 없다고 선언했다.

상해 임정은 완전히 분열 직전으로 치달았다. 존립 개조파改造派와 창조파創造派가 양립하고 싸움을 벌이기 시작한 것이다. 존립 개조파는 기왕의 임시정부 틀을 놔두고 개혁 개조하자는 파였고, 창조파는 다시 헤쳐모여 식으로 정부 자체를 신정부로 세우자는 주장이었다. 좌익들이 공공연히 세력 확장을 하는 것이었다. 이승만이 주재하는 국무회의 석상에서까지 좌, 우가 싸우는 양상을 보이기도 했다. 이동휘는 공공연하게 조국광복이 되면 공산 혁명을 이룩하고 소련처럼 공산주의 국가가 되어야 한다고 주장하며 미국식 민주주의 국가가 되어야 한다는 이승만의 주장을 꺾어 눌렀다. 소위 임시정부 창조와 개조改造를 주장한 세력들은 1923년 1월 3일 상해에서 국내외

61개 단체가 참가하여 국민대표회를 열었다. 그러나 대회장은 시작부터 좌익과 우익의 대립으로 순탄치 못했다. 더구나 좌익끼리 분파싸움을 하는 바람에 더 소란스러웠다. 3개 파의 공산당이 참가했는데 하나는 고려공산당高麗共産黨 계열과 상해파 공산당 계열 그리고 일본 유학생들이 모여 만든 ML파 공산당이었다.

고려공산당은 1919년 4월 연해주 이르쿠츠크에서 러시아 혁명군 제5군단장 스메스키의 지도로 대한 국민회 소속의 문창범, 한명서, 김하석 등이 모여 결성한 것으로 전위前衛 단체로 고려 공산 청년회를 조직하고 박헌영朴憲永에게 국내 조직의 책임을 맡겼다. 상해공산당은 연해주에서와 국무총리가 된 이동휘가 여운형, 안병찬 등과 함께 만든 공산당 조직이었다. 이들은 임정의 주체 세력이 되기 위해 공산당 간판을 내걸었다고 볼 수 있었다. 중국 공산당이나 러시아 공산당의 국제적 지원을 받아 공산혁명 정부를 만들어가려면 외교상 필요하다고 보았던 것이다.

국무총리 이동휘는 함경북도 단천 출신으로 구한국 무관학교를 나와 강화진위대江華鎭衛隊 참령參領을 지냈다. 군대 해산이 되자 거병擧兵을 하려 했으나 뜻을 이루지 못하고 서북지방으로 갔다가 데라우치 총독 암살미수사건에 연루되어 1년간 복역하고 석방되었다. 그 후 시베리아로 망명하여 안창호와 신민회新民會를 만드는 등 항일운동을 하다가 신한민국 임시정부 집정관 자격으로 상해로 와 상해 임정의 국무총리가 된 인물이었다. 이동휘는 러시아 볼셰비키 혁명을 성공한 레닌에게 줄을 대고 정치자금을 얻어 정부 재정에 사용하자고 주장했다.

국무회의는 그 안건을 의결하고 여운형, 안공근, 한형권 등 3인을 대표로 하여 러시아로 파견하기로 했다. 여비가 마련되자 이동휘는 두 사람은 제쳐놓고 자기 심복이던 한형권 한 사람만 몰래 러시아로 떠나보냈다. 이동휘는 한형권이 시베리아 기차를 타고 바이칼 호수를 지나갈 때쯤 여비가 모자라 대표 중 한 사람만 시급히 떠나보냈다고 발설했다. 다음은 당시 사정을 자세히 기록한 김구의 〈백범일지白凡逸志〉를 인용해보기로 한다.

이 총리이동휘가 몰래 보낸 한형권이 러시아 국경 안에 들어서서 우리 정부의 대표로 온 것을 알리자 모스크바에서는 소련 최고 수령 레닌이 직접 친히 한형권을 만나주었다. 레닌이 독립운동 자금은 얼마나 필요하냐 하고 묻는 말에 한은 입에서 나오는 대로 200만 루블이라고 대답한즉슨 레닌이 웃었다.

"일본을 대항하는 데 200만 루블로 족하겠는가?"

그렇게 반문하자 한은 너무 적게 부른 것을 후회하면서 본국과 미국에 있는 동포들이 자금을 마련하니 당장은 그만큼이면 된다고 변명하였다. 그러자 레닌은 "제 민족의 일은 제가 하는 것이 당연하다"라며 소련 외교부에 명하여 한국 임시정부에 200만 루블을 지급하되 우선 1차분으로 40만 루블을 주라 하여 한형권은 그 돈을 가지고 모스크바를 떠났다.

이동휘는 한형권이 돈을 가지고 떠났다는 비밀 전보를 받자 국무원에는 알리지 않고 몰래 자기의 비서장이며 심복 중의 하나인 김립金立을 시베리아로 마중 보내어 임시정부 모르게 자기이동휘가 챙기려 했으나 김립이 배신하여 실패하게 되었다. 김립은 한형권에게서

40만 루블을 받아 상해로 오지 않고 가족 명의로 북간도에 토지를 매수하고 상해에 잠입하여 숨어 살며 광둥廣東 여자를 첩으로 들이고 호화롭게 향락 생활을 시작하였다. 뒤늦게 임시정부가 이동휘에게 그 죄를 물으니 그는 국무총리를 사임하고 러시아로 도망하여 버렸다.

그러자 한형권은 다시 모스크바로 가서 통일운동의 자금이라 칭하고 20만 루블을 더 얻어서 몰래 상해에 돌아와 공산당 무리에게 돈을 뿌려서 소위 '국민대표대회'라는 것을 소집했다. (中略) 한형권의 돈 20만 루블로 상해에서 개최된 국민대표대회라는 것은 참말로 잡동사니 회라는 것이 옳을 것이었다.

일본, 조선, 중국, 아령 각처에서 무슨 대표, 무슨 단체대표 하는 형형색색의 명칭으로 200여 대표가 모여들었는데 그중에 이르쿠츠크파, 상해파, 두 공산당이 민족주의자인 다른 대표자들을 경쟁적으로 끌고 쫓고 하여 이르쿠츠크파는 창조론創造論, 상해파는 개조론을 주장하였다.

창조론이란 지금 있는 정부를 해소하고 새로 정부를

조직하자는 것이고, 개조론이란 것은 현재의 정부를 그냥 두고 개조만 하자는 것이다. 이 두 파는 암만 싸워도 귀일이 못 되어서 소위 국민대표대회는 결국 분열되고 말았다. 이에 창조파에서는 제 주장대로 '조선공화국'을 만들어 김규식이 수반이 되어 그걸 끌고 해삼위(블라디보스토크)로 가서 러시아에 출품하였으나 모스크바가 돌아보지 아니하므로 계불입량計不入量 하여 흐지부지 쓰러지고 말았다.

이 공산당 두 파의 싸움 통에 순진한 독립운동가들까지도 창조니 개조니 하는 공산당 양파의 언어 모략에 현혹되어 시국이 요란하므로 당시 내무총장이던 나는 국민대표회에 대하여 해산을 명하였다. 이것이 붉은 돈이 일으킨 일 막의 희비극이 끝을 맺고 시국은 안정되었다.

(金九 〈白凡逸志〉에서)

이승만은 상해에 더는 남아 있을 필요나 이유가 없다는 결론을 내리고 상해를 떠날 구실을 찾았다. 현실적인 자파의 정치세력이 없는 한 아무런 일도 할 수 없고 정치력도 발휘할 수 없는 무력감에 빠져 있었던 것이다. 마침 제1차 세계대전 같은 전쟁을 억제하기 위한 수단으로 9대 군사 강국들이 모여 군비축소軍備縮小 회담을 워싱턴에서 연다는 보도가 있었다. 그 회의는 11월 12일에 열리며 미국을 비롯한 영국, 이탈리아, 벨기에, 네덜란드, 중국, 포르투갈, 일본 등이 참가하기로 돼 있었다.

마침내 5월 20일. 이승만은 미국의 군축회담에 옵저버로 참가하여 한국의 입장을 밝히겠다는 뜻을 전하고 상해를 떠나 미국으로 가겠다고 했다. 미국 직행이 없어 필리핀의 마닐라를 경유하여 가는 '컬럼비아호'에 승선하게 되었다. 상해의 푸둥 부두를 떠나면서 상해 시가를 바라보니 비감이 서렸다. 바닷가에 지어진 유럽풍의 고풍스러운 건물들은 마치 유럽의 어느 도시를 옮겨다 놓은 듯했고 영국 깃발이 나부끼고 있었다. 중국도 한국과 같은 고통에 신음하고 있었다.

"따뜻한 홍차 한잔하십시오. 향이 좋습니다."

비서 임병직이 배 안의 식당에 앉아 있던 승만에게 차를 권했다.

"고맙네."

"1년 5개월 만에 상하이를 떠납니다. 그동안 얼마나 상심하셨습니까?"

"상심이라……."

"국내에서나 미주에서나 하와이에서나 박사님이 하시고자 해서 안 된 일이 있습니까? 모두 지지해 주었고요."

"그래서 상해에서의 상심이 더 컸을 것이라 그런 말이군? 그건 사실이야. 물고기는 물이 필요하듯 정치가는 강력하고 탄탄한 지지 세력이 필요한 법이라는 건 알고 있었지만, 사조직私組織의 위력이 그렇게 크다는 걸 새삼 절실하게 느꼈네. 정치적 사조직은 정당화되면 안 된다는 생각이었는데 말이야."

"저는 상해에 와서 실망과 상심이 컸습니다. 안 그래도 보잘것없고 가난하기 그지없는 임정 사무실에 둘만 모이면 서로 다투고 헐뜯고 하여 화합을 못 하는데 어느 세월에 하나 된 정부로 독립을 찾을 수 있는가? 그런 마음에 안타까웠습니다."

"성분이 다른 각 정파를 하나로 묶어내는 사람이 대통령일진대 그걸 못 하고 떠나는 내가 안타깝네. 여하튼 많은 것을 배우고 떠나는구면."

이승만은 쓸쓸하게 웃었다. 두 사람은 필리핀 마닐라에 내려서 10일 동안 묵었다. 임병직을 데리고 이승만은 마닐라 여러 곳을 돌아다니며 보고 듣고 견문을 넓혔다. 이승만은 마침내 미국기선 '그레니트 스테이트호'를 타고 6월 29일 호놀룰루에 도착했다. 7월 1일 하와이 교민회가 마련한 대통령 환영식에서 이승만은 상해임시정부에 관한 보고를 했다. 그동안 그곳에 있었던 사건들을 간략하게 보고하고 초창기여서 아직은 일치단합을 못 하는 흠이 있지만, 조국광복이란 목전의 목표가 심각한 만큼 모두 정신 차리고 단결하여 2천만 민족을 대변하고 대표하는 기관이 될 것이라 했다. 그런 다음 무엇보다 시급한 것은 재정이 어려우니 임정을 돕기 위해 미주 동포들이 적극 나서달라고 당부했다.

이승만은 7월 27일, '대한인동지회'라는 사조직을 결성했다. 자기 쪽 인사들인 민찬호, 안현경, 이종관 등이 나섰다. 뒤늦게 사조직을 키워야 한다는 필요성을 느꼈던 것이다. 동지회는 상해임시정부를 옹호하며 대동단결을 도모하되 임시정부의 위신을 추락시키거나 방해하는 세력에 대해서는 엄중히 대처하겠다는 강령을 채택했다. 동지회에 맞서 먼저 포문을 열어 온 쪽은 박용만의 '독립단'이었다. 독립단 기관지였던 〈태평양시사〉에 "이승만은 상해에서 임정 내부의 분열만 일으키고 사태를 감당하지 못해 슬그머니 자취를 감추어버렸다"라는 비난 기사를 올렸던 것이다.

이에 동지회 부녀회원들이 찾아가 항의하고 정정보도를 요구했지만 거부당하자 이승만을 지지하던 청년 20여 명이 신문사를 습격하여 난장을 만들었다. 이 사건은 결국 잠잠해졌지만, 이승만에 대한 여론이 나빠지는 결과를 낳았다. 이승만이 청년들의 테러를 지시한 것은 아니라 할지라도 지시한 것이나 마찬가지라는 것이었다. 거기에 일일이 신경쓰고 대응할 만한 가치가 없다는 것이 이승만의 생각이었다. 그보다는 11월 11일 워싱턴에서 열리는 태평양 군축회의에 대한 대비가 급선무였다.

"공식적인 대표가 되려면 우리 상해임시정부의 신임장이 필요하다. 즉시 신임장을 보내달라고 전보를 치게."

이승만은 임병직에게 지시했다. 그러자 얼마 후 임시정부로부터 신임장이 왔다.

"1921년 9월 29일. 임시정부 전 각료회의를 소집하여 토의한 결과 다음과 같이 의결했음을 알리는 바입니다. 대한민국 임시 대통령 이승만을 전권대사로, 서재필은 전권부사로, 비서관 정한경, 고문 프레데릭 돌프 변호사."

이승만은 신임장을 미 국무부에 제출했다. 미국은 일본에 대해 친화적인 제스처를 취하고 있었다. 러일전쟁 승리 후 일본의 해군력이 증강을 거듭하여 미국의 신경을 자극하고 있었는데 이번 군축회의로 일본의 해군력을 감축시키기 위함이었다. 그즈음에 한국 국내에서 몰래 보낸 '한국독립청원서'가 워싱턴 구미위원부에 도착했다. 그 청원서를 몰래 가져온 사람은 감리교 선교사였다. 청원서를 읽어보고 난 이승만은 놀라움과 감동을 동시에 받았다.

청원서의 제목은 '한국인민치 태평양회의서 韓國人民致太平洋會議書'였으며 이상재, 윤치호, 박영효 등 사회 지도층 인사들이 서명하고, 귀족 대표로 김윤식, 황족 대표 이강李堈 그리고 조선 13도 260군郡 대표 등 372명이 서명 날인한 한국의 독립 청원서였다.

거기에는 이승만에게 보내는 이상재의 밀서도 있었다. 군축회의와 미 정부에 제출하고 문제화하여 독립촉성促成의 주춧돌이 되게 해달라 하고 있었다. 이승만은 즉시 고문 변호사 프레데릭 돌프를 시켜 휴스 국무장관에게 전달케 했다. 그런 다음 이승만이 휴스를 면담하고 미 정부는 물론이고 군축회의 사무처에도 그 문건을 제출하여달라고 부탁했다.

휴스는 승낙했으나 독립청원서는 군축회의 본회의 의제로는 상정되지 못했다. 이미 그 정보를 파악하고 있었던 일본대사관이 손을 썼기 때문이었다. 이 일로 미국과 일본의 사이가 냉랭해지기 시작했다. 미국은 한국 쪽을 두둔하고 나섰던 것이다. 이승만은 언론을 통하여 한국 독립 청원 채택 필요성을 강조하여 본회의에 참가하는 각국 대표들의 여론을 환기시킬 필요성을 느끼고 INS 통신의 윌리엄스 기자를 움직여 영향력 있는 기자들을 불러 기자 간담회를 열었다. 그 자리에서 이승만은 국내에서 보낸 독립 청원서의 내용과 그 청원서가 왜 군축회의에 상정 논의되어야 하는지 당위성을 설명했다.

언론들은 이승만의 인터뷰 내용을 주요 기사로 실었다. 사실상 이승만은 이번 일에 사활을 걸다시피 했다. 그동안 국제 외교 활동에서 성공하지 못했기 때문에 이번에는 뭔가 보여줘야 했던 것이다. 그러나 군축회의는 한국 문제를 외면한 채 자기들만의 잔치로 끝이 나버렸다. 결국 일본은 해군력 증강을 멈추고 감축한다는 미국 측의 요구에 굴복하는 대신 미, 일, 영, 불 등 4개국은 현 태평양 연안의 자국 영토는 존중해주기로 한다는 실익을 챙겼다. 일본은 한국에 대한 지배를 다시 한번 국제적으로 인정을 받게 되었던 것이다.

임시정부의 대표단은 아무런 성과도 올리지 못하고 실패로 끝났다. 이 실패는 이승만 개인은 물론이고 한국의 장래, 독립의 꿈은 한발 더 멀어져가는 결과를 초래했다. 이승만 개인으로서는 자신이 주장해온 국제 외교를 통한 독립운동 노선이 그 정당성을 상실한 순간이 되었으며, 임정 대통령으로서의 능력 부재와 권위 상실을 가져왔다. 후폭풍은 곧 일어났다. 상해임시정부 내에서는 대통령 이승만에 대한 불신임안이 의정원에 제출되었다. 이유는 내정불통일 內政不統一, 외교 실패, 조각組閣 불능 등이었다. 이 불신임안은 참석 의원 중 반대 의원 5명이 전원 퇴장한 채 12대0으로 가결했다. 불신임안 표결은 이승만 몰아내기의 전주곡이었다. 하지만 이승만은 개의치 않았다.

워싱턴에서 다시 하와이로 돌아온 이승만은 그동안 소홀히 했던 한인 기독학원과 한인 기독교회 사업에 심혈을 기울여 일하기 시작했다. 9월 18일에는 기독학원 새 교사 낙성식을 했고, 11월에는 신축 한인교회 완공 헌당식을 했다. 해가 바뀌고 이듬해 6월이 되자 임시정부 의정원은 '대통령 사고안 事故案'을 통과시키고 이동녕을 임시 대통령 대리로 임명하라고 이승만에게 통보했다.

대통령 자리를 장기간 비워두었기 때문에 사고로 간주하겠다는 것이었다. 이승만은 부당하다는 답신을 보내고 지금까지 상해로 보내던 하와이 교민단의 '인구세' 송금을 차단해버렸다. 이에 놀란 임정은 불법적 행위라며 항의했다. 그러자 이승만은 극동에 있는 교민들에게서는 한 푼도 거둬들이지 못하면서 하와이 교민들에게만 인구세를 내라는 건 부당하다고 버텼다. 그 속에는 하와이 교민들은 자기를 보고 보내준 것이지 자기가 없다면 안 보낼 것이라는 뜻도 담겨 있었다.

상해 임정과 마찰이 계속되자 임정은 마침내 의정원을 열어 대통령 탄핵안을 통과시켰다. 1925년 3월 23일 대통령 면직안을 가결하고 박은식朴殷植을 새 대통령으로 선출했다. 그런 다음 이승만에게 면직 결정을 통보하고 불복하는 경우 2개월 이내에 제소하라 했다. 그로써 이승만은 5년 6개월간의 상해 임시정부 대통령직에서 물러나고 자연인으로 돌아왔다.

13. 레만호의 백합화白合花
프란체스카

　이승만은 임시정부 대통령에 대한 미련을 버리기로
했다. 하와이에는 자신이 해야 할 본연의 임무가
기다리고 있었던 것이다. 그건 교민 동포 자녀들의
교육문제 해결과 이제 독립 교단으로 새출발한
교회를 키우고 평소에 가지고 있었던 기독교 복음
화를 위해 헌신하는 일이었다. 이승만은 한인 기독
학원 교사 안에 작은 방 하나를 얻어 사무실로 사용
했다. 워싱턴에는 구미위원부가 있었으나 대통령에서

물러나자 위원부까지도 해체하란 통보가 있어 문을 닫은 상태였다. 그때 누군가 사무실 문을 노크했다.

"들어오시오. 열려 있습니다."

문이 열렸다. 신사 하나가 들어오며 중절모자를 벗었다.

"야아, 신 교장! 소식도 없이 하와이까지 오다니 반갑네."

전 배재학당 교장이며 죽마고우인 신흥우가 나타났던 것이다.

"대통령 그만두었는데도 얼굴은 훤하구먼? 낙망하고 있을 것 같아 위로 차 먼 길을 왔는데 말이야."

"소식 한번 빠르구먼. 그 사람들 날 쫓아낸 건 언제 알았나?"

"상해와 서울은 이웃 아닌가?"

신흥우는 정말 고마운 친구였다. 일본은 기독교 교단을 일본 연합회란 하나의 이름으로 통합하고 국가가 관리하려 했다. 이에 이승만은 조선 YMCA를 일본 기독교 연합회로부터 독립시켜 스위스 제네바에 있던 세계 YMCA에 가맹시켰으면 하다가 마침 신흥우에게 부탁을 하게 됐었다.

신흥우는 즉시 서울에서 스위스로 떠나 세계 YMCA 연맹에 직접 조선 YMCA를 가입시키는 데 성공하고 하와이로 와서 이승만을 만났었다. 그게 작년1924년 5월이었다. 이승만은 기뻐하며 신흥우의 두 손을 잡았다. 그러면서 또 한 가지 자기가 생각하고 있던 아이디어를 꺼내놓으며 그의 의견을 구했다.

"잘 알겠지만 안창호는 로스앤젤레스를 중심으로 국민회를 만들고 그 조직을 바탕으로 흥사단興士團이란 단체를 탄생시켜 세력을 키웠네. 국내에까지 진출하여 서북 출신들을 주축으로 한 수양동우회修養同友會를 발족시켜 각종 사회문화 단체에 조직을 확대하고 있네. 우리도 국내에서 활동할 수 있는 비밀단체를 만들었으면 하네. 우리 쪽에도 기독교 교단의 애국 인사들이 많이 있지 아니한가? 그들을 주축으로 민족 기업가들을 영입하여 단체를 만들었으면 하네. 조국광복을 위해서는 우리 단체나 수양동우회 모두 하나가 되어 일제와 싸워야 하지. 자넨 어떻게 생각 하나?"

"자네가 하와이에서 조직한 대한인 동지회가 있잖나? 한국 서울지부도 만들었었지. 그 동지회를 모태로 해서 비밀결사를 새로 하나 만들면 어떻겠나?"

"서울에 돌아가면 수양동우회 같은 비밀결사를 만들고 일본 당국이 눈치 채지 않도록 철저히 위장하는 문화단체건 경제인 단체건 결성했으면 하네."

신흥우는 이승만의 제의에 흔쾌하게 동의했다. 그렇게 귀국했던 신흥우는 9개월 만에 다시 하와이로 이승만을 찾아왔던 것이다.

"어찌 됐나? 결사結社는?"

"잘 되었네. 내가 보기에 참여한 인사들의 면면만 보아도 조선을 대표할 만한 인재들일세. 모두 비밀 독립운동에 신명을 다하겠다고 나선 애국자들이지."

"얘기를 다 털어놓게. 궁금하이."

"그때그때 상황은 비밀이 샐까 보아 전보로 알려줄 수가 없었네. 결사 구성은 일사천리였어."

신흥우는 1925년 3월 5일에 창립된 이른바 비밀 독립결사인 '흥업구락부興業俱樂部' 결성 경과에 대해 설명해주었다. 1년 전에 이승만과 밀의密議를 끝내고 결사 구성을 위해 신흥우는 귀국하였다. 1925년 정초부터 3월까지 3개월 동안 4차에 걸친 회합을 하며 신흥우는 각계의 동지들을 규합하고 결사 구성을 서둘렀다. 1차 때부터 이승만의 절대 지지자였던 이상재를 필두로 이갑성, 유억겸, 구자옥, 안재홍, 박동완 등을 만나며 깊이 있게 논의하고 4차 회합이 끝난 3월 5일에 신흥우의 집에서 창립총회를 열었다.

신흥우의 집에서 창립한 것은 당국의 시선을 피하기 위해서였다. 그날은 집안 어른의 잔치가 있는 날로 위장했던 것이다. 결사 단체의 이름을 '흥업구락부'로 한 것은 기업가 실업인들의 경제친목 단체로 위장하기 위함이었다. 창립총회 결과 구락부 부장은 이상재, 회계는 윤치호와 장두현, 간사로 이갑성과 구자옥이 선임되었고 유성준, 박동완, 홍종숙, 안재홍, 오화영, 유억겸, 신흥우는 회원이 되었다. 그 외 회원들은 서서히 늘려나가기로 했다.

"이상이 창립총회 경과 보고일세."

"이 사람아, 내가 회장인가 부장인가? 보고는 무슨. 정말 수고했네. 자네 아니면 해낼 수 없는 과업을 완수했구먼? 장하이."

"날 칭찬할 게 아니라 유성준 씨를 칭찬하게."

"무슨 소리야?"

"그분도 원래부터 이승만 절대 지지자 아닌가? 나와 함께 이번 일을 꾸미고 다녔는데 가장 수고했네. 난 기호畿湖 지방의 기독교 지도자들을 주로 만났고, 성준 씨는 사회문화 언론인들을 만났네."

"유성준 동지! 내가 미국에 온 뒤부터 만나지 못했으니 벌써 몇 년이야? 정말 보고 싶은 옥중 동지일세. 고난의 옥중 생활이었지만 그래도 그때가 그립구먼?"

"그러게 말이야."

두 사람은 잠시 옛 생각에 잠기며 추연해졌다. 유성준俞星俊, 그는 거물 개화 정치인이었던 유길준俞吉俊의 아우였다. 일찍이 일본 유학을 하고 돌아온 뒤 농상공부農商工部 회계국장, 내부협판內部協辦을 지낸 고관 엘리트였다. 유성준이 한성감옥에 투옥된 것은 개혁당 사건에 연루되어서였다. 유성준은 이승만보다 15세나 연장이었다. 그런데도 그는 이승만을 존경하고 따랐다. 이승만이 감옥에서 〈독립정신〉

책을 집필하게 된 것도 따지고 보면 유성준의 권고 때문이었다.

무엇보다 시급한 것은 독립정신 고취이다. 책으로 써라, 일본에 있는 형 유길준이 돌아오면 정부에서 그 책을 편찬할 수 있게 하겠다. 그렇게 말하며 독촉했다. 그의 말대로 정부에서 간행하지는 못했어도 훗날 박용만이 그 원고를 숨겨 나와 미국에서 출판했다.

"성준 동지 아니었으면 〈독립정신〉은 탈고하지 못했을지도 모르네. 〈독립정신〉의 은인이야."

이승만은 새삼 고마워했다. 훗날 조국광복이 되어 이승만이 귀국하여 정치활동을 하게 되었을 때도 비록 해체의 운명을 맞았지만 흥업구락부의 동지들이 있어 커다란 힘을 얻게 되었었다.

당시 결성된 '흥사단'이나 '수양동우동맹회'는 서북지방 출신들이 주류를 이룬 가운데 회원들의 신분이나 학력 등은 서민적이었던 데 반해 흥업구락부의 회원은 당대 한국 사회의 지식인들이 대부분이었다. 회원 52명 가운데 미국 유학생이 12명이었고 일본 유학생 11명, 독일 유학생 2명 등 전체 회원의 절반

이상이 외국 유학에서 돌아온 엘리트들이었다. 해외 유학을 통해 선진한 세계 문물을 보고 배워왔기 때문에 그들의 의식은 깨어 있었다.

국제 정세가 요동을 치고 위기가 고조되어서야 이승만의 역량과 능력을 인정받게 되어 있었다. 바로 그런 기회가 왔다. 제1차 세계대전이 끝나고 전쟁이 없는 세계 평화를 실현하기 위한 '국제연맹'이 창설되어 활동 중이었는데 강대국들이 민족주의 내지는 군국주의 독재 세력이 정권을 잡는 바람에 다시 세계가 긴장 상태가 되어가고 있었다.

이탈리아는 무솔리니 정권이 들어서서 군국 독재를 시작하고 소련은 온건파인 트로츠키를 국외로 추방했다. 패전국 독일은 히틀러에 의하여 나치스 민족주의 망상에 휩쓸리고 있었다. 미국은 애초 국내의 부정적 여론 때문에 국제연맹에 가입하지 않았는데 뜻밖에도 국내적으로 건국 이래 최대 위기와 시련을 맞고 있었다. 이른바 1929년부터 1932년 동안 뉴욕의 주가株價 대폭락으로 시작된 경제 대공황이 미국은 물론 전 세계의 경제공황으로 번져갔다.

이런 혼란을 틈타 일본 군부는 만주에서 만주사변을 일으켜 그것을 빌미로 만주에 출병하여 점령하고 친일 괴뢰 정권인 '만주국'을 세웠다. 그런 다음 상해 사건을 일으켜 중국 본토로 출병했다. 국제연맹에서는 신생 '만주국'에 대한 정통성 문제와 지위 문제를 논의하기로 했다. 그 정보를 감지한 상해임시정부에서는 임시 국무회의를 열었다. 1년 전부터 주석은 김구가 맡고 있었다.

"아시다시피 일제는 만주를 집어삼키고 만주국이란 친일 괴뢰정부를 세웠습니다. 우리에게 당면한 긴급한 문제는 남만주 동북삼성東北三省에 흩어져 사는 100만 한국 동포들의 지위 문제입니다. 불이익을 받거나 차별대우를 받지 않도록 우리 임시정부에서 전권대사를 임명하여 국제연맹 본부로 파견, 문제를 제기했으면 합니다. 어떠시오? 적임자는 누가 뭐래도 한 분뿐이올시다. 이승만 전 대통령입니다. 그분을 전권대사로 보내고 싶은데 여러분은 어떠시오?"

뜻밖의 추천에 국무위원들은 놀라는 얼굴이

되었다.

"불신임 탄핵을 받아 쫓겨나다시피 한 분이 이승만이오. 그런 기피 인물을 전권대사라니 말도 안 되는 소리입니다."

그런 발언이 제일 많았다. 그러나 김구는 고개를 흔들었다.

"모르시는 말씀. 사사로운, 근거 없는 오해는 버리시오. 그분 잘못은 없소이다. 과오가 있어서 쫓겨난 게 아니고 권력 쟁투의 희생양이 된 겁니다. 그분은 진정한 애국자입니다. 나 같으면 억울하게 쫓겨나면 아마 다시는 상대하지 않고 임정에 대해 비방하고 원한을 품었을게요. 하지만 그분은 초심대로 지금까지 우리 임정을 걱정해주고 잘되어가기만 빌고 있소이다. 그건 가끔 보내오는 서찰이 말해주고 있습니다. 악감정을 가지고 있다면 전권대사를 제의할 때 거절하겠지요. 하지만 난 거절하지 않으리라 믿습니다. 그래서 추천하는 것이오."

역시 김구의 한마디는 권위가 있었다. 국무회의는 이승만을 대한민국 정부의 국제연맹 전권대사로 임명했다. 김구는 처음부터 이승만에 대한 존경심과 호감을 느끼고 있었다. 임시정부 안에서, 어쩌면 이승만을 가장 진실되게 이해해주고 믿어준 동지가 김구였다. 하와이에서 워싱턴으로 돌아온 이승만은 전권대사로 임명되었다는 소식을 듣고 김구의 예상대로 거부하지 않고 받아들였다. 오히려 틀림없이 목적 달성을 해 보이겠다며 답전答電을 보냈다. 그런 다음 12월 23일, 뉴욕을 떠나 파리로 향했다.

파리에서 잠시 머물던 이승만은 곧 육로로 열차를 이용하여 국제연맹 본부가 있던 스위스 제네바로 향했다. 제네바에 도착한 것은 이듬해1933년 1월 4일이었다. 그는 아름다운 호수 레만호 부근의 아담한 드뤼씨Hotel de Russie 호텔에 여장을 풀었다. 이승만은 중국 대표를 비롯하여 AP통신 특파원인 프란츠 립시 같은 여러 기자를 만나며 국권을 잃은 한국의 억울한 입장을 알리고 한국이 다시 독립국가로서의 위상을 되찾아야만 극동의 평화가 유지될 것이라 갈파했다.

이승만은 1월 26일자 〈저널 드 쥬네브〉지 불어판에 장문의 기고문을 실었다. 이 기고문에서 이승만은 "군국주의 일본제국의 침략 야욕의 정체가 무엇인가. 그들은 왜 대륙의 통로인 한국을 무력으로 강점하였으며, 왜 계속해서 중국의 북동부 지역인 만주 대륙까지 강탈하고 괴뢰국인 만주국을 세웠는가? 일본 영토 팽창의 야욕과 침략의 마지막은 어디까지인가? 중국 전토를 차지하고 아시아 전체를 아우르는 강대국을 만들겠다. 그리하여 아시아가 하나로 공영共榮하는 팍스 아시아나를 이룩하겠다며 야욕을 위장해오고 있다. 세계가 여기에 속으면 안 된다. 국권을 짓밟힌 한국은 일본의 대륙 침략을 위한 원료 공급기지로 전락하고 식량과 모든 물자를 징발당하여 아사 직전에 몰려 있다. 만주까지 지배하면 그곳에 사는 한국민 100만이 본국의 국민과 똑같은 운명에 처하게 된다. 손바닥으로 하늘을 가릴 수는 없다. 만주족들의 자발적인 요구로 만주국이 세워졌다는 일본의 주장은 새빨간 거짓말이다. 국제사회에서는 인정하면 안 된다. 그리고 한국이 왜 독립을 되찾아야 하는지 그 당위성을 설명하겠다. 지정학적으로 한반도는 대륙으로 향하는 가교이다.

한국이 독립국으로 존재한다면 일본이 어떻게 대륙으로 향하려 하겠는가? 한국이 중립국으로 독립을 되찾아 완충지대가 되어야 할 당위성은 바로 그것이다"라고 기술했다.

이승만의 기고문은 화제를 불러일으키기에 충분했다. 같은 내용으로 국제연맹 사무국장 에릭 도르트먼트에게 공한을 작성하여 제출하고 이사회의 안건으로 상정해주기를 청원했다.

이승만이 동분서주하고 있을 때 그는 무엇보다 소중한 평생의 반려자를 제네바의 뤼씨 호텔에서 만나는 행운을 얻게 되었다. 당시 만 58세의 독신이던 이승만에게 나타난 벽안의 연인이요 반려자 프란체스카 도너 양은 그야말로 행운이라고밖에 표현할 길이 없었다. 이승만이 프란체스카 모녀를 만나게 된 것은 2월 21일. 저녁 식사를 하려고 간 호텔의 식당에서였다.

프란체스카 도너 양은 어머니와 함께 유럽 여행 중 제네바에 들렀다가 이승만과 같은 호텔에 묵게 되었다. 도너 양의 고향은 오스트리아 비엔나Wen

교외 인쩌스도르프였고 그녀의 친정 내력에 대해서는 며느리 조혜자趙蕙子가 〈이승만 대통령의 건강〉이란 책에 수록한 글에 다음과 같이 소개하기로 인용한다.

아들 없이 딸만 셋을 두었던 프란체스카의 아버지 루돌프 도너는 막내딸인 그녀집에서는 화니로 불렸다를 아들처럼 생각하고 길렀다. 그녀는 어려서부터 수학에 뛰어난 재질이 있어 학교에서 '산수의 진주'라는 애칭을 받았으며 어학에도 남다른 소질이 있었다.

철물 무역을 하며 새로운 청량음료를 개발하기도 했던 그녀의 아버지는 장차 그의 사업을 물려주려고 화니를 상업전문학교에 보내고 영국 스코틀랜드에 유학시켰다. 유복한 가정에서 학식과 교양을 갖춘 방년의 화니에게 혼담이 있었던 것은 당연했다.

상대는 당시 대중들에게 폭발적인 인기 스포츠로 주목받게 된 '포멀 아이스'라는 경주용 자동차 선수인 헬뭇 뵈링거라는 남자였다. 혼담이 추진되어 결혼식까지 순조롭게 진행되었다. 그러나 결혼식이 끝나자 뵈링거는 어디론지 가버리고 말았다. 신부의 처소로 돌아와야 할 신랑이 영영 돌아오지 않은 것이다. 화니는 뜬눈으로 밤을 새웠고 결국은 그 이유를 알아냈다. 남자에게는 열렬히 사랑하던 동거녀가 있었던 것이다.

그녀는 남자보다도 나이가 많았을 뿐 아니라 가난하여 지참금도 가져오지 못할 형편이라 남자의 집에서는 반대하고 부유한 화니와 결혼을 시키려 했던 것이다. 이 사실을 안 화니는 즉각 혼인을 취소했다. 뵈링거의 부모는 좀 참고 기다리면 신랑이 돌아올 것이라고 달랬지만 결벽증이 있었던 화니는 단호히 거절하고 지참금도 돌려받았다.

이 사건은 화니에게 엄청난 타격이었다. 그녀의 아버지도 심적인 충격으로 얼마 살지 못하고 돌아갔다. 그 후 인생관이 달라진 화니는 어떤 남자에게도 관심을 가져본 적이 없었다. 그리고는 사업에 전념하였다.

프란체스카 모녀는 뤼씨 호텔의 식당에 들러서 저녁 식사를 하기로 하고 자리에 앉았다. 크지 않은 식당이어서일까, 좌석이 없을 만큼 손님이 많았다. 두 사람은 음식을 시키고 황혼이 물든 창밖을 내다보았다.

"정말 아름답지요? 호수 건너편을 보세요. 하늘과 물결 그리고 요트의 돛들이 모두 붉게 물들어 있어요."

딸이 가리키는 넓은 레만 호수를 바라보며 어머니는 고개를 끄덕이며 미소를 지었다. 그때 누군가 다가왔다.

"죄송합니다. 지금 좌석이 없어서 그러는데 양해하신다면 이 동양에서 오신 신사분과 합석해도 될까요?"

지배인이었다. 그 옆을 보니 동양 신사 하나가 서 있었다.

"물론이에요. 우리가 4인석 식탁에 앉았군요."

"고맙습니다. 앉으시지요."

지배인이 권했다. 이승만은 모녀의 앞자리에 앉으며 고맙다고 인사했다. 그렇게 되어 이승만과 프란체스카의 운명적 만남은 이루어졌다. 훗날 프란체스카는 이승만과의 만남을 이렇게 추억하고 있음을 볼 수 있다.

지배인의 안내를 받으며 우리가 앉아 있는 식탁으로 온 이 박사58세의 첫인상은 기품 있고 고귀한 동양 신사로 느껴졌다. 그는 프랑스어로 "좌석을 허락해주셔서 감사합니다" 하고 정중히 인사한 뒤 앞자리에 앉았다.

곧바로 메뉴를 가지고 온 웨이터에게 높은 신분으로 보였던 이 동양 신사가 주문한 식단을 보고 나는 무척이나 놀랐다. '사우어크라우트sauerkraut'라는 시큼하게 절인 배추와 조그만 소시지 하나, 그리고 감자 두 개가 전부였다. 내가 놀란 것은 그 당시 유럽을 방문하는 동안 귀빈들의 호화판 식사와는 달리 값싼 음식들뿐이었기 때문이다.

나는 왜 그런지 이 동양 귀빈의 너무도 초라한 음식 접시에 은근히 신경이 쓰였다. 그리고 숙녀들에게 먼저 말을 걸어오는 서양 신사들과는 달리 온화한 표정으로 말없이 앉아 있었다. 그러다가 웨이터가 음식을 가져오자 프랑스말로 "본 아뻬띠!맛있게 드세요" 하고 예의를 갖춘 후 조용히 식사만 했다. 나는 이 동양 신사에게 사람을 끄는 어떤 신비한 힘이 있는 것을 느꼈다.

무의식중에 나는 이분의 식사하는 모습을 바라보다가

그만 눈이 마주치게 되어 무안해서 미소를 머금고 물어보았다.

"동양 어떤 나라에서 오셨나요?"

"코리아! 코리아에서 왔습니다."

그는 힘 있게 대답하고 역시 미소를 지었다. 나는 문뜩 여행하기 직전에 우리 독서 클럽에서 보내주어 읽고 있던 〈코리아〉란 글 속의 '금강산'과 '양반'이란 한국말이 생각났다.

"코리아에는 아름다운 금강산과 양반이 산다지요?"

내 말에 그는 무척 놀라면서 반가워했다. 그때만 해도 한국을 알아주는 외국인은 드물었고 또 알아도 일본의 악선전 때문에 잘못된 인식을 가지고 있었다. 그래서 내가 자기 조국 '코리아'를, 그것도 아름다운 산 금강산을 알고 있다는 사실이 그분을 무척 기쁘게 한 것 같았다.

그때 지배인이 베른Bern에서 온 기자가 그를 찾아왔다고 전했다. 그러자 그분은 자리에서 일어섰다.

"덕택에 즐거운 시간 가졌습니다. 실례했습니다."

그리고 급히 자리를 떠났다.

다음 날 나는 신문에서 그분의 사진과 한 페이지를

온통 다 차지하고 있는 장문의 인터뷰 기사를 보았다. 그 신문은 1933년 2월 22일 자 〈라 트리뷴 도리앙La Tribune D'Orient〉지였다. 그 기사에서 그는 "한국이 독립해야 아시아의 평화가 이룩될 수 있다"라고 열렬히 주장하고 있었다.

별생각 없이 나는 기사를 오려 봉투에 담아서 내 이름은 쓰지 않은 채 그분에게 전해달라고 호텔 프런트에 맡겼다. 그런데 답장이 왔다.

"나에 관한 신문 기사를 보내주신 친절에 감사드립니다."

그렇게 씌어 있었다. 다음 날 다른 신문에도 한국의 독립에 대한 기사가 또 실려 있어서 보내드렸더니 답례로 그분은 차 대접을 하겠다는 제안을 해왔다. 처음에는 사양하다가 나는 그분과 함께 아름다운 호수를 바라보면서 이야기를 나눌 기회를 갖게 되었다.

그분은 어려운 여건 속에서 정식 국적과 여권도 없이 동분서주하며 잃어버린 조국의 독립을 찾기 위해 밤낮을 가리지 않고 일하면서도 지칠 줄 모른다는 것을 알게 되었다.

당시 33세였던 프란체스카는 서서히 동양의 노老애국자에게 연민의 정을 느끼고 자기도 모르게 이끌려가고 있다는 것을 느꼈다. 두 사람은 차를 마시고 레만호 호반의 산책길을 걸으며 서로의 궁금한 이야기를 나누었다.

"아까 말씀 중에 정식 국적도 없고 정식 여권도 없다고 말씀한 것 같은데 스위스는 어떻게 오셨지요?"

"어렵게 왔지요. 한국은 일본에 망했습니다. 여행하려면 일본 국적을 가진 채 일본 여권을 가져야 합니다. 난 그것이 싫었습니다. 내 나라를 찾을 때까지는 무국적자로 남겠다. 그리고 어떤 어려움이 있더라도 일본의 여권으로 해외여행은 하지 않겠다. 그래서 그런 겁니다."

이승만은 그렇게 말하면서도 태연했고 당연하지 않느냐는 표정을 지었다. 이승만은 미국에 들어가 학사, 석사, 박사를 하고 반평생을 살았으면서도 그는 귀화하지 않았다. 따라서 주변에서는 시민권을 갖지 않고 있는 그를 이해하지 못했지만, 이승만은 자신은 미국 시민이 아니라 한국인이라는 정체성을 지키기 위해 영주권이나 시민권을 거부하는 것이라 했다.

"대단하신 분이군요. 한국의 독립을 꼭 찾으시기 바랍니다."

"고맙습니다. 화니 양은 비엔나로 언제 떠나십니까?"

"더 쉬고 며칠 후에 떠날 거예요. 박사님께 필요한 일이 있으면 제가 도와드리겠습니다. 전 스코틀랜드에 유학할 때 영어 동시통역사 자격증을 땄고 또한 타자와 속기사 자격까지 땄거든요. 그리고 독일어는 물론이고 프랑스어도 공부를 해서 잘합니다. 타자하실 일 같은 거 있으면 여기 체류하는 동안 도와드리겠습니다."

"정말 뜻밖에도 커다란 힘을 얻게 되는군요. 그래 주시면 얼마나 고맙겠습니까?"

이승만은 감사를 표하며 그녀의 손을 잡았다. 두 사람이 호텔로 돌아온 시간은 좀 늦어서였다. 기다리고 있던 어머니가 걱정을 했다.

"이 늦은 시간까지 그 나이 든 동양인과 함께 있었단 말이니?"

"엄마, 그분은 아주 훌륭한 박사님이야."

"박사면 뭐 하니? 정식으로 식사할 돈이 없어 날달걀에다가 식초를 타서 마시고 견딘다면서? 그런 가난뱅이 베가본드방랑자는 이제 만나지 마라."

하지만 프란체스카는 이승만이 영어로 써놓은 신문 기고문을 독일어로 번역하여 타자를 쳐서 정리하는 일을 해주었다. 타이프라이터는 호텔에서 구했던 것이다. 제네바는 독일어와 불어를 함께 사용하는 곳이라 독일어 신문에 보낼 원고는 독일어로 만들어야 했다.

프란체스카의 어머니는 딸이 이승만의 일을 도와주고 있다는 것이 두 사람 사이가 가까워질까 봐 걱정스럽고 부담이 되었던지 애초 예정하고 있던 날짜를 앞당겨 비엔나 집으로 돌아간다고 했다.

"준비해라. 내일 오전에 기차편으로 떠나자."

프란체스카는 당황했다.

"돌아갈 예정일은 아직도 며칠 더 남았잖아요?"

"볼 만한 것도 다 보았고 쉴 만큼 쉬었으니 빨리 돌아가야지, 화니야."

"네. 어머니."

대답은 했지만, 은근히 걱정이 되었다. 이승만은 하루하루가 몹시 바빠서 호텔에 있는 시간이 없었다. 그런데 어머니는 내일 오전에 떠나겠다고 하니 만나지도 못하고 헤어질지도 몰랐던 것이다. 외출에서 이승만이 돌아오면 알려달라고 호텔 프런트에 부탁해 놓았지만 소식이 없었다. 그녀는 밖으로 나가 식품점에서 한국 김치 맛이 나는 사우어 크라프트 한 병을 사서 돌아왔다. 끝내 기다리던 이 박사의 소식은 없었다.

이튿날 아침이 되자 프런트에서는 이 박사가 새벽녘에 들어와 지금쯤 잠이 들어 있을 것이라 했다. 딸의 심정을 아는지 모르는지 어머니는 짐을 챙겨 내려와 체크아웃 하겠다고 했다. 프란체스카는 사우어 크라프트 병이 든 봉지를 프런트 직원에게 맡겼다.

"박사님 나오시면 전해주세요."

"예, 그러겠습니다."

떨어지지 않는 발길로 뤼씨 호텔을 바라보며 모녀는 제네바 역으로 향했다. 이승만의 편지를 프란체스카가 받은 것은 비엔나 집으로 돌아온 지 일주일

만이었다. 이승만은 제네바 레만 호반에서 화니 같은 천사를 만나게 되었다는 것은 생애 가장 아름다운 사건이었으며 만남을 주선해준 하나님에게 감사한다고 썼다.

그러면서 그는 그토록 동분서주하며 임무 완수를 위해 최선을 다했지만 한국의 독립 문제와 만주국 내의 한국 거류민에 대한 청원 문제는 본회의 의제가 되지 못하고 기각이 되고 말았다는 안타까운 사연을 적고 있었다.

프랑스나 영국 같은 나라들은 자국의 태평양 연안의 식민지 지배권을 인정받기 위해 일본의 한국 식민화나 만주국 식민지화에 대해서는 시비를 걸지 않았다. 그리고 일본의 주장에 동조하고 있었다. 그런 상황에 한국 문제 청원이 받아들여질 리 없었던 것이다.

이승만은 이제 별수 없이 미국으로 돌아간다고, 보고 싶어도 어쩔 수 없다는 심정을 밝혔다. 프란체스카는 그의 안타까운 사연이 담긴 편지를 읽고 당장 제네바로 뛰어가 만나고 싶었지만, 어머니 때문에 참아야 했다.

프란체스카는 이승만이 알려준 주소인 그의 사서함을 통하여 비록 지금은 이별한다 해도 언젠가는 다시 만날 수 있을 것으로 생각하며 그날이 오기만 하나님께 기도하겠으며 한국의 독립문제가 꼭 성취되기만 빌고 있겠다고 편지를 보냈다. 이승만은 아메리칸 익스프레스에 사서함私書函을 가지고 있다고 말해주어 그녀는 그곳으로 편지를 보냈다.

그 사이 두 사람 간에는 여러 차례 편지가 오고 갔으며 마침내 두 사람은 비엔나에서 반가운 상봉을 하게 되었다. 헤어진 지 4개월쯤 지나서였다. 청원문제가 좌절되자 이승만은 미국으로 가기 위해 파리로 가 잠시 체류했다. 4월 하순쯤 되었을 때 제네바의 미국 총영사로부터 서신을 받았다.

직접 부딪치지 말고 일이 어려울수록 돌아가는 게 현명하다. 국제연맹 밖에서 지지 세력을 모아라. 실례로 중국 대표단은 긍정적인 태도를 보일 것이다. 그런 내용의 서신을 받자 이승만은 다시 제네바로 돌아왔다. 제네바 주재 중국대사는 이승만의 옛 친구였던 당더키엔童德乾이었다.

　중국 대표단은 일본의 침략으로 만주도 잃고 본토까지 위협을 받고 있어서 이승만의 청원을 무조건 받아들이고 있었다. 한국이 독립해야만 일본이 대륙을 넘보지 못할 거란 사실을 누구보다 잘 알고 있었던 것이다.

14. 검소한 결혼식

이승만은 중국 대사에게 러시아 대표단을 설득하고 싶으니 도와달라고 청했다. 독립청원에 러시아의 적극적 도움이 필요하기도 했지만, 극동지역의 러시아에는 수많은 한국 동포가 거주하고 있었고 지하에서는 항일운동이 일고 있었다. 그들의 안전과 지원을 러시아 정부에 요청하고 싶었던 것이다.

러시아 대표단은 본국에 있었다. 그들을 만나려면 모스크바로 가야만 했다. 하지만 무국적자인 이승만의 여권이 문제였다. 러시아 비자를 받아야 들어갈 수 있었던 것이다. 그 문제는 중국 대사 당더키엔이 해결해주었다. 제네바 주재 러시아 대사 페테르브스키는 당 대사와 친분이 두터운 사이였던 것이다. 당 대사의 요청을 받아들여 페데르브스키는 마침내 러시아 입국 비자를 발급해 주었다. 때마침 임페리얼 호텔로 프란체스카 양이 찾아왔다. 다시 제네바에 왔다는 것을 이승만이 알려주었기 때문이었다.

얼마나 반가웠던지 프란체스카는 이승만을 보자 주위 시선은 아랑곳하지 않고 품속으로 달려들며 울음을 터뜨렸다. 두 사람은 이미 서로 깊이 사랑하고 있었던 것이다. 그날 밤 두 사람은 다시 레만호의 숲 속 길을 거닐며 많은 이야기를 주고받았다. 별들이 쏟아지는 호반의 벤치에 앉아서 이승만은 프란체스카의 두 손을 잡으며 결혼해줄 것을 청했다.

"나는 가진 것도 없고 나이도 많고 나라조차 없는 초로의 보잘것없는 남자입니다. 나에게 시집오면 평생 고생을 하겠지요. 그걸 알면서 청혼하는 나는 나만 아는 이기주의자인 줄도 잘 압니다. 하지만 사랑하니 결혼합시다. 내 청을 받아주겠소?”

“물론입니다. 나도 박사님을 사랑해요. 청혼해 주시니 행복해요.”

“집안에서 반대가 심하겠지요?”

“어머님이 좀 반대를 하시겠지만, 어머님은 항상 제 의견을 존중해주시는 분이니까 허락을 하실 거예요.”

아버지가 돌아가셨으니 어머니가 가장 어른이었다. 어머니는 나이 많고 가난한 동양의 애국자가 처음부터 마음에 차지 않았다. 그래서 떼어놓으려고 서둘러 비엔나 집으로 왔던 것이다. 그런데 딸이 바로 그 사람과 결혼하겠다고 하면 반대할 게 분명했다. 그보다 프란체스카는 딸만 셋인 집의 막내였지만 그녀가 타계한 아버지 루돌프의 가업을 이어 사업체를 운영해 왔다. 그런 딸이 시집을 가버리고 나면 당장 가업 운영에 문제가 생기게 되어 있었다. 그 점 또한 반대의 명분이 될 만했다.

“하지만 걱정하지 마세요. 무슨 수를 쓰든 허락을 받아낼 테니까요. 결혼식은 어디서 하지요?”

"뉴욕이나 워싱턴에서 합시다. 미국에 가는 대로 내가 알아보아 간략하고 검소한 결혼식을 치릅시다."

"네, 그렇게 하세요."

그때의 심정을 프란체스카는 이렇게 추억하고 있다.

그분은 한국의 독립 문제로 만날 사람이 많아 늘 바빴고 나도 어머니의 감시 때문에 우리가 서로 만나기도 쉽지 않았다. 그렇지만 우리는 비엔나의 명소와 아름답고 시적詩的인 숲 속을 거닐기도 했다. 소년처럼 순수하고 거짓 없는 그분의 성실한 인품은 나에게 힘든 선택을 하도록 용기를 북돋아주었다. 나는 '사랑'이란 아름답고 로맨틱한 한국말을 알게 되었고 '조용한 아침의 나라'를 동경하게 되었다. "나이가 지긋한 동양 신사라 아무 탈이 없을 줄 알고 합석을 했다가 내 귀한 막내딸을 그토록 멀리 시집보내게 되다니." 그렇게 회한悔恨 섞인 한숨을 지으시는 어머니와 가족들의 반대를 무릅쓰고 결국 나는 그분과의 결혼을 결심했다.

프란체스카는 곧장 비엔나 집으로 떠나갔다. 이승만이 모스크바로 가야 할 날이 다가왔던 것이다. 이승만은 열차를 이용하여 모스크바로 향했다. 모스크바 역에 도착한 이승만은 입국 심사를 받았다. 심사가 끝나 문밖으로 나오자 사복 입은 청년 하나가 막아섰다.

"잠시 따라오시죠."

그는 역 구내 사무실로 데리고 갔다. 그러더니 여권을 보여달라고 했다. 여권을 내보이자 그는 채가듯 여권을 빼앗아 들었다.

"왜 이러시오?"

이승만이 놀라서 물었다.

"지금부터 두 시간 후면 파리행 기차가 있습니다. 그 기차 편으로 즉시 돌아가십시오."

"이거 봐요. 난 합법적인 러시아 입국 비자를 받아왔는데 추방하겠다는 건가?"

"비엔나 대사관의 사무적인 실수로 밝혀졌습니다. 실수로 발급된 여권이니 압수를 하고 즉시 추방하란 외무 인민위원회의 명령입니다. 명령에 따라

주십시오."

어처구니없는 일이 벌어지고 있었다. 하지만 항변해보아야 허사일 게 뻔했다. 이미 추방령을 받아왔다고 하지 않는가.

"알겠소. 돌아가겠소. 하지만 한 가지만 부탁합시다. 기왕 들어왔으니 24시간 안에 떠나도록만 해주시오. 추방의 유예 시간은 국제적으로 24시간 이내요. 상부에 말해주시오. 호텔에서 하룻밤 자고 파리로 떠날 테니."

그는 처음엔 안 된다며 완강하게 말하다가 어디론지 나갔다가 다시 돌아와 허가가 났다 했다.

"당신을 계속 밀착 감시하고 있다는 것을 기억하고 약속은 지키시오."

이승만은 그러겠다고 하고 호텔을 잡은 다음 러시아 주재 중국 대사를 찾아갔다.

"이승만 박사, 말씀 익히 들어서 잘 알고 있습니다. 저희 대사관이 뭐 도와드릴 일이라도 있습니까?"

이승만은 제네바에서 합법적인 러시아 입국 비자를 받아 입국했으나 도착과 동시에 거부를 당하고 추방령을 받았다. 이런 외교비례外交非禮가 어딨는가. 대사가 나서서 대신 항의를 하고 추방령을 취하시켜달라 청했다. 그러자 중국 대사는 난감한 얼굴이 되었다.

"박사님의 안타까운 사정은 잘 알겠지만 갑작스러운 추방령에는 뭔가 러시아 정부의 피치 못할 사정이 있는 듯싶습니다."

"사정이라니요?"

"아실지 모르겠습니다만 지금 러시아와 우리 중국 간에는 '동중국東中國 철도 소유권' 문제로 양국이 첨예하게 대립하고 있습니다. 중국 내의 철도를 부설할 때 러시아도 투자했었으니 당연히 소유권이 있다는 것이 러시아의 주장입니다. 러시아는 분쟁에서 이기기 위해 일본 정부를 원군으로 끌어들였고 그래서 지금 크렘린에는 일본 철도위원회 마쯔모토 회장 일행이 도착하여 묵고 있습니다."

"러시아 당국이 일본 측 비위를 거스르지 않기 위해 나의 입국을 막았다, 그 말씀이군요."

"그렇게밖에는 거부 이유를 찾을 수 없습니다."

씁쓸한 결과였다. 국제연맹의 한국 독립에 대한

청원은 정식 의제도 되지 못하고 무산되었다. 또 한 번의 외교 실패였다. 유럽 언론에 침략으로 일관하는 일본의 본색과 한국이 독립을 되찾아야 하는 이유 등을 인터뷰를 통해서, 혹은 신문의 기고문을 통해서, 집회 연설이나 강연을 통해서 활발하게 갈파하여 지식층의 지지를 얻었다는 소득만으로 위로할 수밖에 없었다.

이승만은 프란체스카 양에게 속히 부모님 허락을 받고 미국으로 와 결혼식을 올리자고 편지했다. 그런 다음 모스크바에서 파리를 경유하여 남부 프랑스의 니스로 가는 기차에 몸을 실었다. 니스 항에서 뉴욕으로 가는 여객선 렉스호로 바꿔 타고 대서양을 건넜다.

뉴욕에 도착한 이승만은 상해임시정부 김구 주석에게 제네바 회의 전말과 결과를 알려주고 곧바로 하와이로 갔다. 호놀룰루에서 제네바 회의 결과에 대해 설명회를 열었다. 하와이 교민 간부들은 이승만에 대해 감정이 좋지 않았다.

교민들이 해외의 독립운동 단체들에게 재정적으로 도움을 주는 것은 이승만을 바라보고 한 것이었다.

이승만은 자신이 주장하는 대로 독립 쟁취는 국제 외교로 이룰 수밖에 없다며 돌아다녔지만 제대로 성과를 얻은 결과물이 없었던 것이다. 허풍쟁이란 비난이 이승만을 괴롭혔다. 이승만은 이듬해 실망만을 안은 채 워싱턴으로 돌아왔다.

한편 프란체스카의 가족들은 이승만과의 결혼을 반대했지만, 딸의 고집과 사랑을 꺾지는 못했다. 승낙했던 것이다. 그녀는 기쁨을 감추지 못하며 미국 비자 신청을 서둘렀다. 여행 목적을 결혼이라 했더니 결혼 상대자가 무국자라 비자를 내줄 수 없다는 것이었다. 당황한 그녀는 이승만에게 그 사실을 알렸다.

이승만은 즉시 국무부에 들어가 친분이 두터운 여권과장 쉬플레이R. B. Shipley 여사에게 도움을 청하여 그녀의 비자 문제가 해결되었다. 그녀는 마침내 뉴욕으로 건너왔다. 이승만은 이미 그녀가 온다는 사실을 알고 뉴욕 부두의 터미널에서 기다리고 있었다.

"화니! 잘 왔소."

"보고 싶었어요."

"갑시다. 호텔을 잡아두었으니까. 모레쯤 결혼식을

올릴 테니까 오늘은 쉬고 내일은 그 준비를 간단히 해요."

"결혼식은 어디서 하지요?"

"지금 가는 맨해튼에 있는 몽클레어 호텔이요. 그리고 내일은 내가 필라델피아에 잠시 다녀와야 하오. 강연 하나가 잡혀 있어 약속은 지켜야 할 것 같소."

"그렇게 하세요."

이승만은 프란체스카를 호텔에 남겨두고 이틀날 새벽에 필라델피아로 향했다. 그곳 상공회의소 월례 강연회에 일정이 잡혀 있었던 것이다. 오전에 끝내고 점심을 먹은 후 강연회장을 나와 뉴욕으로 돌아가기로 하고 다시 역으로 갔다. 가던 도중 그는 무슨 생각이 들었던지 택시를 잡았다.

"어디로 모실까요?"

"오션글로브로 가주시오."

얼마 후 대서양 바다가 펼쳐진 언덕 위에서 차를 내렸다. 붉은 지붕에 하얀 벽을 가진 별장들이 숲 속에 군데군데 들어서 있는 게 보였다.

"보이드Boyd 여사!"

그녀의 집은 가운데 언덕 꼭대기에 있었다. 낯이 익고 그리움이 담겨 있는 집이었다.

그는 얼마 후 바닷가를 거닐고 있었다. 새삼스럽게 죽은 아들의 모습이 떠올라 가슴 한구석을 무너지게 하였다. 벌써 몇 년 전인가. 이십오육 년 전이었다. 30대의 자신은 반백의 중년, 그것도 환갑을 앞에 둔 나이가 되어 있었다. 아들 태산이를 가슴에 묻고 그는 가정이라는 안식처를 잊고 살았다. 이국땅에서 손자가 죽었다는 소식에 경선공은 충격을 받아 병이 악화하여 운명을 달리했다. 승만은 아버지 임종도 못 했다. 부친의 타계 소식을 듣고 나서 아내의 안부가 궁금하지 않을 수 없었다.

태산이 죽은 지 5년 만에 서울 YMCA 초청으로 이승만은 처음이자 마지막으로 고국 땅을 밟을 수 있었다.

하지만 고국 생활도 1년 반 정도 지나 일제의 검거 위협으로 접어야 했고 도망치듯 미국으로 나와야 했다. 아버지가 돌아가신 것은 그 뒤였다. 아내의 신변도 걱정되어 서울 YMCA에서 봉사하고 있던 제자에게 편지하여 집안 형편을 알아보고 알려달라 부탁했었다. 얼마 후 제자의 편지가 왔는데 실망스런 내용이었다.

"제가 박사님 댁에 찾아갔을 때는 다른 사람이 살고 있었습니다. 이웃에게 물어보니 시아버님과 며느님 두 분이 살고 계셨는데 시아버님이 돌아가시자 혼자 사시다가 집을 팔고 어디론가 이사를 가셨다 했습니다. 박사님이 말씀하신 대로 같은 동네에 처가가 있다 하시어 알아보았으나 처가인 박경근 씨 댁은 오래전에 만주로 이민을 가셨다 하여 부인이신 박승선 여사님의 행방은 묘연했습니다."

밀려오는 파도를 보며 이승만은 16세 동갑내기로 혼인하던 날 처음 만났던 아내 박승선朴承善의 모습을 떠올렸다. 지금은 어디로 갔는지 알 수 없는 아내. 예쁜 얼굴은 아니었지만 복스럽고 아담한 몸매의 모습이었다. 말수가 없고 부지런하고 강인했다.

남산 복사골에서 시오리나 떨어진 마포 삼개나루를 오가며 돈을 벌어 시부모를 봉양하고 모신 효부였다.

이승만이 본의 아닌 탈옥 사건 때문에 가중처벌을 받고 10년 형을 선고받아 복역할 때도 여자의 몸으로 시아버지와 함께 고관이나 문중을 찾아다니며 석방을 빌었고 나중에는 남자 선비나 할 수 있는 복각상소 伏閣上訴까지 하기도 했다.

복각상소는 대궐 문 앞에 엎드려서 억울함을 상소하는 걸 말한다. 그의 부인은 대궐 문 앞에 가마니 뙈기를 깔고 머리를 산발한 채 며칠이고 울면서 남편은 죄가 없으니 풀어달라고 애소哀訴를 했던 것이다. 여성으로는 처음 있었던 일이라고 주변에서는 말했다.

이승만이 그로부터 지금껏 재혼을 생각해보지 않은 것은 슬픈 기억 때문이었다. 가슴에 묻은 아들, 그 아들은 감옥에도 함께 데리고 잤을 만큼 끔찍하게 사랑했었다. 그 아들이 전염병으로 이국땅 차디찬 격리병실 구석에서 아버지와 어머니를 부르며 죽어가고 있을 때 곁에 있어주지도 못했던 죄의식은 평생 바윗돌로 가슴을 눌렀다.

아들 생각만 하면 다시 재혼하여 자식을 둘 용기가 나지 않았다. 그토록 고생만 시킨 아내를 생각하면 재혼하여 똑같은 고생의 길을 아내에게 걷게 하고 싶지 않았던 것이다. 그래서 주변에서는 좋은 혼처도 많이 추천했었고 접근해 온 좋은 여인들도 있었지만, 그는 마음을 주지 않았다.

이윽고 그는 해변을 떠났다. 밀려가는 파도를 보며 그동안 등에 짊어지고 왔던 아내와 아들의 슬픈 짐짝들은 물결에 떠나보냈다. 이제 새로운 반려자를 만나 결혼식을 앞에 두고 있었다. 이렇게라도 정리해주는 것이 새 반려자에 대한 예의 같았다.

이승만은 밤늦게 필라델피아에서 뉴욕으로 돌아왔다.

두 사람은 1934년 10월 8일. 뉴욕의 몽클레어 호텔 특별실에서 친구였던 윤병구尹炳九 목사와 존 헤인즈 홈즈John Haynes Holmes 목사 합동 주례로 결혼식을 올렸다. 축복받아야 할 결혼식은 처음부터 벽에 부딪혔다. 하와이에서는 이 박사가 독립투사답지 않게 외국 여자를 아내로 맞이한다는 데에 거부감을 느끼고 반발을 했던 것이다. 그 때문에 기독학원 관계자와 이승만과 가까운 목사 몇 명만 결혼식에 참석했다.

뉴욕 인근의 교민들도 냉담한 반응과 비난을 보냈다. 역시 결혼식에는 스승이었던 서재필 박사와 가까운 친구 몇 명만 초대되어 조촐한 결혼식이 진행되었다.

"화니! 사랑하오. 신혼여행은 당신이 양해해준 대로 생략합시다."

"그 대신 조금 지난 후에 우리 동포들이 사는 미국 국내 지방을 여행할 계획이 있으니까 그 여행으로 허니문은 대신합시다."

"그렇게 하세요."

미국 각 지역에서 강연회와 집회가 몇 군데 잡혀 있었다. 신혼여행은 순회 강연지를 돌며 대신하기로 했던 것이다. 이듬해 1월, 하와이에 가려 하자 여러 사람이 오지 않는 게 좋겠다는 뜻을 전해 왔다. 이승만에 대한 여론과 감정이 극도로 나빠져 있다는 것이었다.

세계를 돌아다니며 국권 회복을 한다면서 해놓은 것 하나 없는데 동족 여인도 아닌 벽안의 서양 여자를 아내로 맞이했다는 것은 더 이해할 수 없다는 것이다. 일반 노동자 동포가 미국 여자와 결혼한다 해도 손가락질받을 일인데 명색이 독립투사가 서양 여자와 결혼하여 손잡고 다닌다면 모든 이들이 어떻게 볼까. 저래서 무슨 독립운동이냐며 손가락질할 것 아니냐는 것이다.

"정 오시고 싶으면 부인은 놔두시고 혼자만 오시오."

혼자만 오는 조건이라면 환영회도 하고 기쁘게 맞이하겠다는 것이었다. 그 편지를 본 프란체스카는 눈물을 흘리며 그렇게 하라 했다.

"혼자서만 가세요. 전 여기서 기다리고 있을게요."

"무슨 소리요? 우린 부부요. 염려하지 말고 함께 갑시다."

그는 조금도 당황하는 기색도 없이 당당하게 누가 뭐라던 아내와 동행한다는 답장을 띄웠다. 그런 다음 호놀룰루로 떠났다. 썩은 달걀이 부부의 머리 위에 쏟아질 줄 알았으나 부두에 마중 나와 이들 부부를 열렬히 환영해주는 것이었다.

이승만 부부는 환영 만찬을 받고 감격스러운

답사를 했고 이튿날부터는 하와이 여러 섬을 돌며 시찰을 겸하고 강연회를 열었다. 돌아와서는 자신이 세운 한인 기독학원을 직접 챙기기 시작하고 한인교회를 위한 성금 모금도 주도했다. 박용만 쪽 하와이 국민회는 이승만의 이런 활동을 방해하고 비난하고 나섰다.

독립운동의 실패자이며 상해 임정의 분파주의자 이며 임시 대통령에서 탄핵을 받아 쫓겨난 무능한 지도자에게 독립운동과 하와이 교민들의 미래를 맡길 수 없다는 것이었다. 이승만은 실망했다. 일일이 대응 하기도 싫었기에 그는 아예 거처를 워싱턴으로 옮기 기로 마음먹고 하와이로 간 지 5개월 만에 이사했다.

새로 얻은 집은 워싱턴DC 호바트 가街에 있던 2층 벽돌집이었다. 바로 길 건너편이 국립 동물원이었다. 사색을 즐기며 동물원 주변을 산책하는 즐거움이 컸다. 비로소 오랜만에 신혼의 안식을 취하게 되었던 것이다.

프란체스카 부인은 그 시절을 다음과 같이 회고하고 있다.

사랑하는 가족과 동포들의 축복을 받지 못한 채 결혼했기 때문에 우리의 고충과 애로는 한둘이 아니었다. 고생을 안 해본 나는 남몰래 눈물도 많이 흘렸다. 그러나 모든 것을 참고 이해와 믿음으로 극복함으로써 어려움을 이겨낼 수 있었다.

남편은 그간 해외에서 30여 년을 독신으로 독립운동을 하면서 사과 한 개로 하루를 견디며 끼니를 거를 때가 많았다. 심지어는 생일에 굶은 적도 있었다. 그러나 결혼 후부터는 생일에만은 꼭 미역국과 쌀밥, 잡채와 물김치를 차려서 그를 기쁘게 해주었다. 그분은 무엇보다도 집에서 아내가 만들어 준 식사를 규칙적으로 할 수 있게 된 것을 무척이나 기쁘고 감사하게 생각하였다. (中略)

신혼 시절 남편과 내가 방문했던 미주美洲의 우리 동포들은 대부분 생활이 어려웠다. 어떤 집에서는 먹을 게 없어서 젖을 빨리고 있는 엄마와 아기가 모두 영양실조에 걸려 있는 것을 보았다. 나는 그때 너무나 가슴 아파하던 남편의 모습을 지금도 잊을 수가 없다.

그리고 그토록 어려운 생활 속에서도 오직 나라의

독립을 찾겠다는 일념만으로 독립운동 자금을 모아 보내는 한국 동포들의 뜨거운 애국심에 나는 절로 머리가 숙여졌다. 그리고 한국의 독립운동가로 유명한 남편이 왜 값싼 3등 열차나 3등 선실만 골라 타고 다니며 그토록 오랫동안 필사적인 독립투쟁을 계속하는지 이해할 수 있게 되었다.

결혼 초부터 남편과 나는 매일 새벽 성경을 읽고 하나 님께 기도드리는 생활을 했다. 성경을 읽고 기도하는 생활은 남편이 독립운동할 때나 대통령직에 있을 때나 하와이 병실에서 돌아가실 때까지 한결같이 계속되었다.

독립운동을 위해 넓은 미국 땅을 누비고 다닐 때였다. 남편은 이곳저곳의 강연이나 방송, 신문기자와의 약속 시각에 대느라 운전대만 잡으면 과속으로 차를 몰아 태풍처럼 질주했다. 과속이지만 운전이 정확하여 사고가 없었던 것은 그만큼 남편의 시력과 판단력이 뛰어났기 때문이었다.

그의 과속운전은 먼 거리를 짧은 시간에 가야 하는 바쁜 일정 때문이기도 했지만, 마음껏 달려야만 직성이 풀리는 혁명가적 기질로 보였다. 제2차 세계대전 직후의 일이었다. 워싱턴의 프레스 클럽에서 연설하기 위해 남편은 뉴욕에서 워싱턴으로 달렸다. 시간이 급했기 때문에 남편은 그 격렬한 과속운전 솜씨를 발휘하기 시작했다.

나는 조심스러워 과속을 말렸지만, 남편은 아랑곳하지 않고 신호도 무시하고 논스톱으로 내달렸다. 곧 두 대의 기동경찰 오토바이가 사이렌을 울리며 뒤따라왔다. 남편은 더욱 무섭게 속력을 내며 달렸다. 나는 간이 콩알만 해져 손에 땀이 나다 못해 새파랗게 질렸으나 남편은 태연하고 의기양양했다.

워싱턴까지 따라온 두 대의 기동경찰 오토바이에 붙잡히지 않고 남편의 차는 정시에 강연장인 프레스 클럽에 도착했다. 남편은 연단에 올라서서 열변을 토하여 청중들을 웃기기도 하고 울리기도 하며 수십 번의 박수갈채를 받았다. 강연장 입구에서 남편 나오기만 기다리며 벼르고 있던 두 명의 기동경찰도 열렬히 박수를 보내고 있었다. 아마 그들도 남편의 연설에 무척 감동한 모양이었다. 연설을 끝내고 나오는 남편을 붙잡을 생각도 않고 그들은 나에게 다가와서 충고를 해주었다.

"기동경찰 근무 중에 우리가 따라잡지 못한 유일한 교통위반자는 당신 남편 한 사람뿐이오. 더 일찍 천당 가지 않으려면 부인이 단단히 조심시키시오."

그러면서 남편을 향해 V자를 그려 보이며 웃고 돌아 갔다. 이때부터 자동차 운전은 꼭 내가 해야겠다고 마음 속으로 다짐했다. (中略) 미국에서 낚시할 때면 남편은 가끔 한강 변의 광나루 낚시터 이야기를 해주었다. 나와 함께 미국 각지를 다닐 때도 남편은 자기 고향의 아름 다운 풍경과 정겨운 이야기를 들려주곤 했다. 어려서 연날리기하며 뛰놀던 남산南山, 복숭아꽃이 만발하던 복사골桃洞 고향집, 동네 과수원에서 친구들과 함께 서리 하던 복숭아와 사과 얘기를 할 때는 마치 소년 같았다.

어딜 가나 남편은 나무와 꽃 가꾸기에 열심이었다. 남편의 나무 사랑과 꽃 가꾸기는 일류 정원사들이 감탄할 정도였다. 수목 전문가들도 남편에게 물어올 정도였다. 언젠가 애주가 친척이 와서 나에게 만일 대통령이 술을 좀 마셨더라면 한국의 역사가 좀 더 나은 방향으로 발전되지 않았겠느냐고 말한 적이 있었다.

이것은 술좌석을 통해 인간관계를 개선하고 타협하는 한국 정치인들의 관행을 대통령이 잘 몰랐다는 뜻으로 말한 것 같다. 미국에서 남편은 많은 사교모임에 나갔지만, 술과 담배는 일절 입에 대지 않았다. 청년 시절 집안 어른들로부터 술 마시는 법을 배웠지만 독립운동할 때부터 술과 담배를 끊었다고 했다.

남편은 가슴에 울분이 쌓이면 술을 찾지 않고 장작을 열심히 팼다. 장작 패는 일은 남편이 젊어서부터 해왔다고 한다. 약소민족의 지도자로서 나라 없는 설움과 냉대를 받으며 강대국의 횡포에 시달려온 남편에겐, 장작 패는 습관이야말로 쌓인 스트레스를 풀어주고 건강을 지켜준 비결이 아닐까 생각한다.

15. 진실을 말하는 무서운 책

워싱턴의 새로 이사 간 집 2층 서재에 앉아 있으면 한가롭게 사슴들이 뛰어놀고 기린이 그 긴 목을 쳐들어 높은 나무줄기에서 푸른 잎을 뜯는 것이 바라다보였다.

"우리 집은 마치 노아의 방주 같소. 방주 안에도 여러 동물이 함께 타고 있었지?"

테이블 곁에 서서 먹을 갈아주고 있는 부인을 보며 이승만이 미소를 띠었다.

"그랬지요. 구원을 받으려면 모두 우리 집 방주를 탔으면 좋겠어요."

오랜만의 휴식이었다. 그동안 30여 년 동안 꼭꼭 싸두었던 필기구와 벼루와 먹을 꺼내놓고 다시 서예書藝 글씨 연습을 시작하려 하고 있었다. 부인에게 먹 가는 법을 알려주고 자신은 눈을 감은 채 앉아 있었다.

"여보, 시작하셔야죠."

부인의 채근을 받자 그는 조용히 눈을 떴다.

"하나님께 기도했소. 내 손과 손가락을 자유롭게 풀어달라고 말이오. 30년 전 투옥되고 고문을 당할 때 대나무꼬치형을 받았지. 대나무를 연필처럼 날카롭게 깎아서 바늘 끝처럼 된 그 꼬치 끝을 손톱 밑에 집어넣고 사정없이 찔러 넣는 악형이었어. 열 손가락을 다 당했지. 지금도 가슴 속에 화가 치밀면 손끝이 얼음물에 넣은 것처럼 시리고 떨리지. 내가 손가락을 펴들고 후후 부는 거 보았지요? 시려서 온기를 불어넣는 거야."

아내 앞에서 손가락을 쥐었다 폈다를 반복하며

그는 긴장한 표정을 지었다. 붓을 들었다. 먹물을 묻히는 손이 떨린다. 될 수 있을까. 다시 쓸 수 있을까. 한학에 조예가 있던 부친 경선공은 서당에 가기 전부터 〈천자문〉에 〈명심보감〉을 가르치고 서도書道를 가르쳤다.

"무릇 선비라면 시서화詩書畵에 능해야 하는 법이다. 붓을 들고 글씨 연습을 해라."

승만은 아버지 얼굴을 떠올리며 넉 자를 단숨에 써 내려갔다.

自主獨立자주독립

"어쩌면 그렇게 멋져요? 잘 그린 그림을 보는 것 같아요."

"하나님 감사합니다! 다행히 내 손에서 글 쓰는 예능을 빼앗아 가진 못했어. 살아났소. 물론 아직은 절반밖에 안 되지만 곧 완전한 기능을 회복할 것 같소."

그는 아내의 손을 잡고 감사해했다. 이승만의 글씨는 어려서부터 인정을 받았고 명필이란 칭찬을 많이 들었었다. 고문을 당하고 다시는 글씨를 쓰지 못할 것으로 생각했지만 이제 다시 쓸 수 있게 되었던 것이다.

서예 수련에 심취하며 시름을 달래고 오랜만의 여가를 논문 집필의 시간으로 활용하기로 했다. 미국 정부나 국제연맹 혹은 각종 언론매체를 통하여 지금까지 일관되게 주장해온 자신의 정치철학을 현실감 있게 한 권의 책으로 저술해야겠다고 생각했던 것이다.

이승만은 1940년 한 해를 꼬박 책 저술에 매달렸다. 연말이 되어 그가 탈고脫稿한 책은 1941년 봄 '플레밍 H. 리베' 출판사에서 출간한 현대 한국은 물론 미국 내에서도 명저名著로 꼽히는 정치사상 서적인 〈일본의 내막內幕 Japan Inside Out〉이란 책이었다.

이 책의 원고는 이승만의 육필內筆로 쓰였는데 아내 프란체스카가 타자를 쳐서 완고를 만들었다. 수없이 고치는 바람에 그녀는 전체 원고를 세 번씩이나 다시 타이핑하여 손가락에 물집이 잡혀 터지기도 하는 등의 고생 끝에 완성했다.

1930년대 후반에 들어서자 동지들은 '조선독립

운동사'를 집필해보라고 권유했었다. 국내외 사정에 정통하고 역사의식이 투철해 있기 때문에 이승만이 써야 한다는 것이었다. 이승만은 수긍하고 자료 수집과 정리에 나섰다.

그러다가 1938년 계획을 수정하게 되었다. 당장 시급한 것은 독립운동사가 아니라 일본의 과욕의 위험과 그들이 미국과 서방세계에 미칠 영향에 관한 경고서부터 씨야 한다는 당위성을 느꼈던 것이다. 일본의 침략 야욕이 한계점에 이르러 동양 평화뿐 아니라 세계 평화가 완전히 깨져버릴 위기까지 와 있다는 위험 신호를 느낀 것이다.

그래서 1년 동안 심혈을 기울여 집필한 책이 〈Japan Inside Out〉이었다. 이승만은 이 책에서 일본의 광적인 팽창주의를 원산에 옮겨붙어 점점 민가로 다가드는 산불에 비유했다. 거센 화마 앞에 한국이 쓰러졌고 만주가, 중국마저 쓰러져 잿더미가 되었다.

그런데도 미국은 강 건너 불구경하듯 저 불은 우리와는 전혀 상관이 없으니 한국 사람이나 중국 사람이 자신의 힘으로 나서서 불을 끄라 해왔다. 그 불길이

궁극적으로 겨냥하고 있는 방향은 어디일까. 태평양 너머 아메리카는 아닐까. 아시아를 제패하려는 일본을 도와주고 병원, 대학, 선교단체는 물론 각종 사업에 투자해온 미국, 당신들은 머지않아 모든 투자 재산을 포기하고 떠나야 할 날이 올 것이다. 일본을 원망해 그들을 징계해야 마땅하다며 무력 증강을 서두르고 한판 결전決戰을 결심할 때쯤 그 산불戰爭은 예고 없이 먼저 기습적으로 아메리카 대륙을 덮칠 것이다.

뒤로 미루는 것은 해결책이 아니다. 산불은 저절로 꺼지는 게 아니다. 더 커지기 전에 먼저 나서서 꺼버려야 한다. 그런 내용이었다. 이 책은 학술적인 논설문은 아니었다. 그러나 전 15장으로 되어 있는 이 책은 평소 이승만이 가지고 있던 정치철학이 논리정연하게 전개되고 설득력을 주어 〈독립정신〉에 이은 명저로 꼽아도 손색이 없을 정도였다.

〈독립정신〉이 초기 저서로 계몽적인 목적으로 쓰였지만, 이 책은 그의 박식한 지식과 미래를 보는 국제적 감각으로, 그것도 영어로 쓰여 수많은 미국인에게 경각심과 화제를 불러일으켰다는 것은 특기할 만하다.

소설 〈대지大地〉를 쓴 노벨문학상 수상 작가인 펄 S. 벅은 〈아시아 매거진〉에 찬사의 서평을 실었다.

"이건 무서운 책이다. 이것들이 진실을 이야기하는 것이 아니라고 나로서는 말하고 싶으나 진실임을 밝히지 않을 수 없는 것이 두렵다."

그럼에도 책이 출판되자 미국 정치계나 군부, 지식인 사회에서의 반응은 두 가지였다. 아예 무시하는 축과 이 책이야말로 전쟁을 부추기는 선동적인 서적이라는 것이었다. 전쟁을 부추기는 책이라 비난하는 축은 지금까지 친일해온 친일 인사들이었다. 그러나 1년도 되지 않아 상황은 급반전되었다. 1941년 12월 8일, 일본의 해군과 공군은 예고 없이 하와이 진주만을 기습 공격하여 미일전쟁이 일어났던 것이다. 이른바 태평양전쟁이었다. 루즈벨트 미국 대통령은 그날 국회에서 연설하며 "미국사에서 영원히 기억되어야 할 치욕의 날"이라고 선언했다.

이승만의 저서 〈일본의 내막〉은 진주만 기습

사건이 일어나자마자 미국 내의 모든 서점에서 매진 사례를 기록했다. 그뿐만 아니라 '미래의 예언자'란 찬사와 더불어 영국에서도 출간되었다. 일본과 밀월에 빠지고 그들을 믿었던 미국 정부와 군부는 비로소 미망迷妄에서 깨어나 일본의 군국 팽창주의의 본색을 알게 되었고 일본의 실상을 알려면 이승만의 책을 읽어야 한다는 여론이 팽배해졌다.

이승만의 성과는 미국인들뿐 아니라 영국인들 사이에서까지 드높아지고, 그가 한국 독립을 위해 지금까지 헌신해온 애국자라는 것이 대중들에게 널리 알려지게 되었다. 이승만은 처음부터 그렇게 되어야 한다는 생각으로 그 책을 저술했으니 당연한 결과라 생각했다. 그는 책이 나오자마자 프랭클린 루즈벨트 대통령과 대통령 부인, 그리고 H. 스팀슨 국방장관에게 증정했고 극동 국장 혼벡 박사를 통하여 국무장관 코덜 헐에게도 책을 보냈다. 미국은 대일對日 선전포고를 했다.

일본의 진주만 기습이 있기 8개월 전인 1941년 4월 20일.

일본의 전쟁 준비가 열기를 띠어가고, 이탈리아에서는 파시스트 무솔리니가 집권하고, 독일에서는 히틀러가 등장하면서 전운이 감돌기 시작했다. 해외에 있던 독립운동가들은 이제 머지않아 독립의 좋은 기회가 올지도 모른다는 희망을 공유하게 되어 하나로 뭉쳐야 한다고 생각하게 되었다.

하와이 호놀룰루에는 미주의 대한국민회와 대한인동지회, 대조선독립단 등 9개 단체 대표들이 모여 전체 미주 한인들을 대표하는 '재미 한족연합위원회'를 창립했다. 그리고 두 가지를 결의했다. 첫째, 연합위는 중경 임시정부를 지지하며 둘째, 워싱턴에 '외교위원부'를 설치하여 국제외교 문제를 전담하고, 셋째로는 미주 한인들에게 독립기부금을 갹출하되 3분의 2는 임정에, 나머지 3분의 1은 외교위원부 경비로 충당하기로 했다.

그리고 재미한족연합회 위원장에는 이승만의 비서였던 임병직이 선출되었고, 이승만은 워싱턴 외교위원회 위원장이 되었다. 연합회 본부는 호놀룰루에, 이사회는 로스앤젤레스에 두기로 하고 활동에 들어갔다. 가시적인 첫 성과는 미일전쟁이 발발하자 하와이 교민의 신분을 보장하는 신분증을 발급한 일이었다. 하와이는 일본인이 많이 살았다. 일본인들은 적국 시민이므로 한국인들도 일본인과 동일하게 불이익을 받을까 봐 일본인으로 취급당하지 않도록 시급히 조치를 한 것이다. 이승만 외교가 가시적으로 성공한 본보기가 되었다.

구미 외교 위원장이 된 이승만은 중경 임시정부에 신임장을 보내달라고 청했다. 임정에서는 6월 4일 자로 워싱턴 전권대사 임명장을 보내왔다. 이로써 대통령 탄핵소추로 그 활동이 중단되었던 워싱턴 구미위원부가 재가동되기에 이르렀다. 진주만 사건으로 미일전쟁이 발발하자 이승만은 재빠르게 개전 3일 만인 12월 11일, 대한민국임시정부의 대일 선전 포고를 미 국무부에 전달했다. 그리고 중경 임시정부의 김구 주석에게 긴급 전문을 보내어 '일본의 패전을 위해 대한민국임시정부는 미국을 위해 어떠한 역할도 다 감당하겠다'라는 내용으로 미 정부에 타전하도록 촉구했다.

그런 다음 임정의 승낙을 받아 '임시정부 성명서'를 작성하여 국무부 S. 혼벡 국장에게 제출했다. 성명 내용은 대한민국임시정부를 승인해달라는 것이었다. 그러나 혼벡은 장관에게 올리는 것을 망설이다 이승만을 개인 자격으로 대우하고 처리해버렸다.

당황하고 놀란 이승만은 혼벡 국장을 만나 따졌다. 그러나 어쩔 수 없는 이유 때문에 정부가 한국 임시정부의 요청을 받아주지 못한 것이라고 궁색한 변명을 했다. 일본이 전쟁을 도발했으나 아직은 일본 내에 체류 중인 미국인의 안전이 보장되지 않은 상태라 일본을 도발해서는 안 되기 때문에 한국의 입장은 이해하나 어떤 결론을 내릴 수는 없다는 것이었다.

이듬해인 1942년 2월 27일에는 워싱턴의 라파옛 호텔에서 10여 개의 한인 각 단체 대표 100명과 미국의 친한親韓 인사 100여 명이 모여 '재미한족대회'가 열렸다. 세계대전이 본격화되어감을 볼 때 한국의 광복과 독립을 되찾을 가능성이 그 어느 때보다 높아지고 있기 때문에 한인사회를 단합하고 미국 내의 여론을 환기하자는 데 개최의 뜻이 있었다. 이승만은 외교위원장 자격으로 개회 연설을 했다.

그리고 이승만은 자신의 높아진 지명도知名度를 앞세우고 한국에 유리해진 국제 정세를 감지한 뒤 마지막으로 미 정부에 대한민국임시정부에 대한 승인을 요청하기 위해 최선을 다하기로 했다. 먼저 루즈벨트 대통령에게 보내는 긴 공한을 작성했다. 일본제국에 나라를 강탈당한 후 30년 넘게 국가의 재산을 수탈당하고 젊은이들까지 강제로 징집되어 미국과의 전쟁에 총알받이로 내몰리게 되었다. 그동안 국내외에서 수많은 항일운동가들이 피 흘려 싸워 왔으며 그들을 지휘하고 이끌어 오고 있는 대한 민국의 망명정부가 있다. 현재 중국 중경에 있는 '대한민국임시정부The provisional Government of Republic of Korea'를 지칭하고 있으며 이 정부야말로 2천 600만 한국 국민과 중국 및 만주, 시베리아, 하와이, 미 본토에 사는 한국인들의 유일한 망명정부이며 대표 기관이다.

더구나 미국은 1882년, 한국과 한미수호조약을

체결한 적이 있는 바 한국인들은 그동안 미국이 조약 가운데 한국이 어려움에 부닥치면 언제나 나서서 도와주겠다는 방호防護 조항의 실효성을 기대해 왔다. 그러나 미국은 외면해 왔다.

한국은 현재 중국과 만주에서 독립군을 조직하여 대일본 게릴라전을 하고 있다. 지금이라도 미 정부는 대한민국임시정부를 승인하고 독립에 필요한 조치를 취해주고 원조를 해주기를 원한다. 그런 다음 임시정부의 신임장 사본과 미군이 일본 본토를 향하여 진격하게 될 때 그 배후에서 한국의 독립군이 어떤 전략으로 일본 내부를 교란하고 파괴할 것인지 그 비밀작전의 시나리오 사본도 동봉하여 국무부에 제출했다.

이번에야말로 미국도 한국의 임시정부 실체를 승인하게 될 것으로 자신했다. 그러나 기다려도 회신이 없었다. 달다 쓰다 아무런 답이 없었던 것이다. 나중에야 왜 그런지 알게 되었다. 거기에는 세 가지 이유가 있었다.

미국은 아직 어느 나라를 막론하고 망명 임시정부를

승인해준 전례가 없다는 것이었고, 또 한 가지 이유는 아직 선전포고를 하지 않고 관망만 하는 소련이 걸린 것이었다. 소련은 중국과 조선 등과 국경을 마주 대고 있으며 한국은 소련의 직접적인 이해 당사국이다. 소련의 의사도 들어보지 않고 미국이 단독으로 승인하면 언젠가 국제문제로 비화할 수 있다. 세 번째 이유로는 이승만이 그 같은 요구를 위해 공한을 보낼 것을 미리 알고 방해 공작을 꾸민 세력이 있었던 것이다.

이승만의 반대 세력에서 보낸 한길수韓吉洙였다. 한길수는 동경에 있는 한인 테러 단체인 '흑룡 강단'의 대표이며 30만 재일在日 한국인을 대표하는 사람이라고 자랑하고 다니던 인물이었다. 한길수는 검증되지 않은 비밀 군사정보를 제공하며 국무부 관리들과 가깝게 지내고 기회 있을 때마다 이승만을 깎아내렸다.

중국에 있는 임시정부라는 것은 중국에서 떠도는 늙은이들이 모여 있는 사설 단체이며 이승만은 마치 자기가 전 한국인을 대표하는 것처럼 말하고 다니지만 알고 보면 본국에서는 이름 석 자도 모르는 인물이다. 그럼에도 미국과 외교를 해야 한다며 들쑤시고 괴롭히는데 내가 만난 관리들은 그의 이름만 들어도 모두 머리를 흔든다.

"박사님, 한길수라는 자가 어느 정도 사기꾼인지 미 정부 관리들을 만나 구체적인 증거를 내놓고 폭로할까요?"

임병직 대신 자신의 비서로 일하고 있던 장기영이 화가 나서 어쩔 줄 몰라 했다.

"그만두게. 무시하는 게 상책이야. 그자를 문제 삼으면 미국인들은 우릴 우습게 볼 거야. 만나고 모이면 비방하고 헐뜯는다고. 그런 자의 비난이나 욕을 한두 번 얻어먹었나? 상해에서 난 동지들끼리 이전투구를 벌이며 서로 잘났다고 서로 좋은 걸 차지하려고 모함하고 싸우는 걸 수없이 겪으며 도대체 우리 동포들은 왜 이러나? 백지장도 맞들면 가볍다고 했거늘!"

이승만은 한숨을 내쉬었다.

"문제는 미국 정부야. 내가 충정공 민영환 대감의 밀서를 감추고 미국 땅을 처음 밟은 것은 1904년이었네. 40년 전이었지. 지금 한국은 일본의 야욕에 제물이 되어 망하기 직전에 와 있다, 한미수호조약 맺은 걸 상기하고 미국은 우리 한국을 도와달라, 그게 밀서 내용이었어. 시어도어 T. H. 루즈벨트 대통령을 잠시 복도에서 만났을 뿐 그 이상 접근할 수도 없었지. 차단당한 거야. 누군가 중간에서 벽을 치고 날 따돌린 거야. 그게 누구였나? 나중에야 알았지. 미 정부 내 여러 부서마다 친일파들이 들어 있어 그놈들이 방해를 했던 거야. 심지어 미 정부는 파리평화회의에 참석하기 위해 떠나려 했을 때도 여권을 내주지 않아 못 갔어. 그것도 친일파 관료들의 농간이었어. 임시정부 대통령이 되었을 때 임시정부 승인과대통령 승인을 미국에 요청했는데도 묵묵부답이었네. 당시 대통령은 자기 손으로 나에게 박사모를 씌워주었던 우드로 윌슨 총장이었어. 한국독립안을 미 의회에 온갖 고생 끝에 제출했었지. 아일랜드 독립은 승인했지만, 한국 독립안은 부결되었지. 그 배후에도 미국의 친일파 의원들과 관리들이 있었네."

"박사님, 방해 세력은 친일파 의원들이나

관리들일 수도 있지만 뭔가 그 뒤에 도사리고 있는 검은 그림자가 있을 수 있다고 생각하신 적은 없으신가요?"

"흑막黑幕? 역시 자넨 남다른 혜안이 있군? 난 그 흑막의 정체를 몇십 년 동안이나 모르고 살아왔는데 자넨 금방 알아차리다니?"

"그럼 어떤 흑막이 있단 말씀인가요?"

"흑막의 정체를 알고 나서 난 차라리 모래 속에 혀를 묻고 죽고 싶었네. 난 미국의 은혜를 누구보다 많이 받은 사람이야. 배재학당에 가고 선교사들의 헌신적인 도움을 받지 않았다면 난 그저 곰팡내 나는 유학 선비로 일생을 살았을 거야. 내가 미국에서 대학을 다니고 박사까지 되고 조국을 위해 헌신한 것은 하나님의 도움이요, 미국과 미국인의 도움이었어. 게다가 난 일찍부터 독립한 내 조국은 장차 미국식 민주주의 국가가 되어야 한다고 생각해서 그렇게 저술하고 연설해왔지. 날 비난하는 자들은 이승만은 친미주의자를 넘어서 미국의 맹종주의자라고 질타했지. 미제의 주구走狗라 하는 자들도 있었네. 하지만 그건 이승만을 모르고 하는 소리야. 내가 한성감옥에 들어가 있을 때 처음에는 그 고생이 어느 정도였는지 아나? 15킬로그램의 칼을 목에 쓰고 발에는 족쇄足鎖, 두 손은 포승으로 묶인 채 엉거주춤 앉아서 옥살이하는데 빈대가 얼마나 많았던지, 간수가 한번 들어왔다가 밖으로 나가면 간수 바지와 신발에서 깨알 떨어지듯 했는데 그 빈대가 온몸을 후비며 피를 빨아도 가려운데도 긁지를 못해. 나중에는 두 다리와 얼굴이 벌겋게 부어오르곤 할 정도였으니 단 한 시간이라도 빨리 감방에서 나가고 싶었어. 은사인 아펜젤러 선교사와 언더우드를 비롯한 미국인 선교사들이 나서서 나의 석방운동을 벌였지. 당연히 난 감옥에서 나갈 수 있었어. 하지만 난 끝내 나가지 않겠다고 버티며 옥살이를 견뎌냈어. 왜 그랬는지 아나? 종로 거리에서 만민공동회를 개최하고 내가 연설을 시작할 때부터 가두정치를 하며 초지일관 주장한 슬로건은 외세에 의존하지 않고 자주自主, 자강自彊, 주권국가主權國家가 되자는 것이었어. 그런 내가 외국 선교사의 힘을 빌려 석방되어 나간다면? 내 주장과 신념에 반하는 것이다. 그래서 반대한 것이야. 그뿐이 아니다. 미국에 오래 살면서 나도 영주권을 얻고 미국 시민권도 얻고 좋은 자리에 취직도 하여 편안한 삶을 누리고 살 수도 있었지. 많은 지인과 친구들이 안타까워했었지. 어려운 고비도 수없이 맞았지만 난 미국 시민권자는 안 되었지."

"박사님은 국적이 없잖습니까? 그래서 여권을 얻으려면 온갖 어려움을 다 겪으시는 것이고요."

"내가 처음 미국에 올 때는 자랑스럽게도 대한제국의 유학생 여권을 받아 왔었지. 헌데 온 지 7년 만에 나라가 망하는 바람에 나는 국적이 없어진 거야. 국내에 살았다면 왜놈 국적으로 바뀌었겠지만 말이야. 그때부터 난 조국이 다시 독립을 찾을 때까지는 무국적자로 남겠다. 그렇게 결심을 했네. 그 결심은 지금도 변하지 않았네."

"끊임없이 언론에 호소하고 연설을 하고 다니시며 각종 문서로 미 정부에 한국 독립을 청원하는 모습이 미국의 도움을 받아 활동하고 있는 것으로 오해를 불러일으킨 것이겠지요. 사실은 원하는 일마다 묵살하거나 아니면 거부해온 것이 미국 정부인데 말이죠.

"묵살하고 거부했다? 나 혼자 짝사랑했다? 그런 셈이지. 정부 밖에서 고급 관료들은 나에게 그토록 호의적일 수가 없었지. 한국의 입장도 이해해주고. 그러나 막상 정부 안으로 들어가면 나의 제안을 침묵으로 일관하거나 아니면 들어줄 듯하다가 막판에는 언제나 'No'였어. 왜 그랬을까. 친일파들이 많아서였을까? 물론 그들의 방해 공작도 심했지. 그보다 난 그 뒤에 이런 검은 그림자가 있다는 사실을 몰랐네."

이승만은 테이블 서랍에서 뭔가 꺼내어 보여주었다. 그건 복사한 서류 중 일부였다.

"이게 무엇이죠?"

"읽어봐. 그것이 검은 흑막의 그림자 정체였네. 1905년 미국 국무장관 태프트와 일본 외상 가쓰라桂太郎 간에 체결된 미·일美日 간의 비밀 맹약이었지. 이른바 '태프트-가쓰라 비밀협약'의 문서 중 일부야. 내용을 보면? 미국이 필리핀 군도를 손에 넣는 것을 일본이 묵인해준다면 미국은 일본의 조선 지배와 만주 경영을 인정하고 도와주겠다는 내용일세."

"1905년이라면 박사님이 미국에 건너온 그다음 해로군요?"

"음. 그때부터 나는 내 옷의 단추를 잘못 끼우고 다닌 거야. 미국은 잘못 끼운 걸 알면서도 외면했지. 그게 바로 그 밀약 때문이었네. 그 밀약을 최대한 이용한 쪽은 왜놈들이지. 미국 정부나 기관 내에, 또는 지식인층에 광범위하게 친일 세력을 부식하고 조선 애기만 나오면 막은 거야."

"박사님은 언제 밀약의 정체를 아셨지요?"

"최근일세. 정말 우연하게도 나와 친한 미 의회 국방위원회 어느 관리가 내준 거야. 밀약 체결 30년이 지났으니 이제는 비밀문서가 아니라는 거지. 더구나 양국은 전쟁 중이잖나?"

"30년 동안 미, 일 양국은 철저한 보안으로 비밀을 지켜왔군요?"

"그게 우리들의 발목을 끈질기게 붙잡고 있었던

거야."

"이젠 그런 흑막도 걷혔으니 임시정부 승인안과 원조안은 받아주겠지요?"

"그래야 하는데……. 똬리를 틀고 있던 구렁이 일본을 내몰았으니 이젠 됐다 했는데 안심하긴 이르네. 아직도 새끼 구렁이가 숨어 있는 거야."

"새끼라니요?"

"소비에트 볼셰비키 혁명에 성공했다는 마르크스 레닌주의자들이지. 공산주의자들이 왜놈들 대신 장차 위협이 될 것 같아서 그러는 거야. 미국의 조야에도 벌써 그들의 움직임이 보이고 있네."

상해 임정 내에서 겪었던 공산주의자들의 준동蠢動이 한국의 장래에 예사롭지 않은 징조처럼 보였는데, 내몰린 일본의 자리에 혹시 소련이 앉지나 않을까 그게 걱정이라는 것이 이승만의 말이었다.

"그래도 미 정부는 우리들의 큰 요구는 외면했어도 작은 요구는 잘 들어주었습니다. 최근에 준 선물은 큰 셈이지요. 1940년 미국 내 외국인 등록법에 따르면 적성국가 외국인은 특별한 신분증을 소지해야 하고 거주의 제한도 받아야 했지요. 여기서 일본 국적을 갖지 않은 우리 한국인들은 적성국가 시민에서 제외한다는 미 법무장관의 성명이 나오지 않았습니까? 얼마나 바라던 국가적 대우입니까? 국적 회복을 전제로 한 그런 조치들은 지금까지 활동해온 박사님의 공적이라고 얘기들 하지요."

"그건 감사한 일이야. 참고 기다리면 머지않아 독립과 해방이 찾아오게 돼 있어."

"섬나라 일본이 미국과 싸워 얼마나 견디겠습니까?"

"그러게 말이야. 장 비서! 방송은 언제부터 해야 한다고 했지?"

"이달 21일 첫 방송이고요, 하루 전날 녹음을 한다 했습니다."

"단파短波방송이 뭔가?"

이승만이 하기로 돼 있는 방송은 고국에 있는 동포들에게 보내는 미국의 소리VOA 단파방송이었다. 단파에 실어 방송을 보내는 방식이다.

"저도 잘은 모릅니다만 알아보니까 방송에서 쓰는

전파는 중파中波, 단파, 초단파超短波 등등이랍니다. 그중에 TV나 라디오 방송은 중파로 쏘는 거고요, 단파는 일반 라디오에서는 사용하지 않고 등록된 아마추어 무선사를 상대로 내보내는 방송이랍니다."

"그럼 일반 대중은 내 방송 목소리를 못 듣는 게 아닌가?"

"그렇습니다만, 무선시설은 아마추어뿐 아니라 국내의 신문사나 방송국 등이 모두 가지고 있으니까 거기서 청취를 할 것입니다. 직원 중에 애국자가 있으면 그걸 다시 녹음하여 지하에 퍼뜨리고 내용을 옮겨 적어 삐라로 뿌릴 수도 있습니다. 그리되면 그 여파가 대단할 것입니다."

"으음, 그렇다면 심혈을 다해서 연설 원고를 작성해야겠군?"

이승만의 첫 단파방송은 6월 21에 송출되었다. 인기 있던 대중 연설가답게, 약간 떨리는 특유의 목소리로 2천 300만 고국 동포들에게 보내는 혈서血書의 소리였다. 일본 제국주의자들이 어떻게 우리 조국을 침탈했으며 우리 동포들은 그 압제에 얼마나 신음해

오고 있는지를 밝히고, 그동안 하와이 미주 등 해외 동포들을 비롯하여 모든 애국 동포가 하나로 뭉쳐 어떻게 독립투쟁을 해왔는지 자세히 밝혔다.

또한 김구, 이시영, 조소앙 등 중경에 있는 대한민국임시정부 애국자들이 나라의 명맥을 지키기 위해 얼마나 고생하고 있는가. 이청천, 김약산, 유동열 등 여러 장군이 지휘하는 대한광복군은 중국의 장개석 군대의 승인과 원조를 받아 일본군을 도처에서 타도하고 있다.

우리 국내는 물론 만주 일대의 일본 관동군 군기창은 모두 불살라버리고 그들의 보급망을 끊어야 한다. 지금은 개전 초기라 미국의 병력이 소수이지만 조금 있으면 대다수로 쏟아진다. 히로이토의 항복은 불을 보듯 뻔하니 우리 독립의 서광이 비치고 있다. 우리 모두 일심 합력으로 왜적을 파하고 우리 자유를 우리 손으로 회복하자.

그런 내용이었다. 이 방송은 8주에 걸쳐서 매일 2회 방송되었다. 이승만의 이 단파방송은 국내에서 엄청난 파문을 몰고 왔다. 그 단파방송을 국내에 비밀스럽게 확산시킨 주인공은 동아일보 기자 출신이었던 홍익범洪翼範이었다. 홍익범은 일찍이 와세다 대학에 들어갔다가 도미하여 컬럼비아 대학에서 수학하고 귀국, 동아일보 기자를 지냈다. 그러나 동아일보가 폐간되는 바람에 쉬고 있었다.

홍익범은 당시 서울에 있던 선교사 에드윈 W. 쿤스 Koons와 가깝게 지냈는데 어느 날 그로부터 이승만의 방송이 잡힌다고 들어보라 했다. 쿤스도 이승만을 잘 아는 사이였고 홍익범 역시 미국에 없을 때부터 이승만과 잘 아는 사이였다. 마침 쿤스는 여러 대의 단파 수신기를 가지고 있었다. 당시 국내에서 활동하던 항일 인사 둘은 거의 모두 국제 정세나 정보에 대해 갈증을 느끼고 있었다. 전쟁이 확전되고 군국주의 일본 당국의 감시가 심해진 데다가 모든 언론매체는 군부가 소유하고 통제하고 있었기 때문에 상승常勝 일본군의 승리 소식밖에는 전해지지 않았다.

그런 때에 홍익범은 단파방송에서 흘러나오는 국제 소식이나 항일투쟁 소식 그리고 전황戰況 등 놀라운 소식들을 우파의 지도자 송진우, 백관수, 김병로,

이인, 윤보선 등과 좌파의 여운형, 허헌, 한설야, 홍증식 등에게 생생하게 전해주었다. 그리고 경성서울 방송국에서 작가 생활을 했던 송남헌을 통해서 양제현 등 여러 직원들을 알게 되어 단파방송을 전국에 확산시켰다.

그러다가 연말이 되어 선교사 쿤스가 간첩 혐의로 추방당하고 경성방송국과 개성방송국 직원들의 단파방송 수신 사실이 밝혀짐에 따라 방송국, 신문사에 대한 대대적인 검거 선풍이 불어닥쳤다. 입건 조사를 받은 용의자는 250명이 넘었고 주모자 홍익범은 징역 2년을 선고받아 복역하다가 고문 후유증으로 옥사했다. 아무튼, 이 단파방송 사건은 국내에서 활동하던 각계의 지도층 인사들 사이에 다시 한번 이승만이 국제적으로 명성을 쌓은, 명실상부한 한국의 지도자란 인식을 심어주는 계기가 되었다.

태평양전쟁이 진행됨에 따라 이승만에 대한 미국의 태도가 변하는 조짐이 있었다.

"임시정부 승인이나 원조 같은 청원에 대해서 미 정부의 태도는 아직도 유보적이지만 국무성이나 국방성 같은 부서에서의 도움은 해줘도 된다는 묵시적 이해가 있는 건 사실입니다. 아직 미국은 태평양 밖의 전선에는 참전하지 않고 있습니다. 다만 남부 중국과 인도차이나 여러 곳에 공군기지를 두고 있으며 101부대라는 첩보대를 운영해 왔습니다. 대통령 직속기관인 정보조정처인데 이번에 확대 개편하는 모양입니다. 동양 각국을 커버하기 때문에 한국도 대상이 됩니다. 한국 대표도 참여시켜야 한다며 고위층에서는 이승만 박사가 적임자라고 정했답니다."

이승만과 평소 친분이 깊은 굿펠로우가 정보를 전해주었다. 그는 얼마 되지 않아 변호사 출신인 윌리엄 도노반 소장과 중국통으로 알려진 E. 게일과 함께 첩보대를 확대, 개편하여 첩보 공작기관인 'OSS'를 발족시켰다. 그들의 임무는 포로 신문, 암호해독, 적의 무전과 방송 청취 정보 분석, 그리고 점령지역이나 후방지역에 사는 현지인들을 유격대로 훈련해 후방교란을 시키는 임무 등을 가지고 있었다.

이승만은 적극 동참하기로 했다. 한미 군사작전의

전과戰果가 있다면 미 정부도 끝까지 임시정부 승인을 외면하지는 못할 것으로 보았던 것이다. 굿펠로우는 한국인 청년들의 OSS 참가를 지원하여 100명을 선발 특공대원으로 훈련하기로 했다.

적의 후방에 침투하여 비밀작전을 해야 하므로 영어는 물론 일어, 한국어를 잘하는 대원을 뽑아야 하는 어려움이 따랐다. 어쨌든 100명이 선발되어 미 대통령 별장이 있던 캠프 데이비드 안에서 낙하산 훈련을 비롯한 공수작전 훈련을 했다. 이승만도 비서 장기영과 해방 후 각계의 지도자가 된 이순용, 정운수, 유일한, 김길준, 장석윤 등 대원들과 함께 OSS 대원이 되어 특공훈련을 받았다.

이 부대의 선발대는 훈련 뒤 미얀마 전선에 투입되어 일본군 포로 심문을 담당하고 현지인들의 게릴라 훈련을 지도했다. 중국에서는 제14 미 항공대 사령관이며 중국 OSS 담당관이었던 C. 시엔놀트 소장과 광복군 대표인 김학규金學奎가 한미 군사 공동 작전 수행에 대해 합의하고 광복군 대원을 선발하여 훈련을 마치고 있었다.

그러나 이 모든 계획은 종전을 앞두고 미군의 한국을 비롯한 중국 동북부에 대한 작전 지역을 태평양 지역으로 변경하는 바람에 무산되고 말았다. 따라서 중국의 광복군 OSS 대원들의 국내 잠입 계획도 무산되고 말았다.

1. 조국의 새 아침
1945년 8월 15일

1945년 8월 14일 밤 11시.

서재에 앉아서 성경을 읽고 있던 70세가 된 이승만은 긴급 뉴스가 있다는 라디오 아나운서의 멘트를 듣자 책을 덮고 라디오 볼륨을 높였다. 일본이 무조건 항복했다는 긴급 뉴스가 흘러나오고 있었다. 어디엔가 뜨거운 불에 덴 것처럼 깜짝 놀란 이승만은 자리에서 벌떡 일어섰다.

"화니! 와봐요. 화니!"

거실에 있던 부인을 불렀다. 부인이 급히 들어왔다.

"왜 그러세요?"

"일본이, 일본이 항복했소. 우린 이제 조국으로 돌아가는 거야."

"아, 여보!"

이승만은 부인의 손을 잡은 채 말문이 막히는지 눈물만 글썽이며 떨고 있었다.

"여보! 진정하세요. 이러다가 쓰러지시면 안 돼요. 제발 흥분을 가라앉히세요."

"으음, 그럴게……."

비로소 이승만은 부인의 부축을 받고 소파에 앉았다. 냉수를 찾았다. 물을 마시고 난 그는 긴 숨을 내쉬며 흥분을 가라앉히기 위해 심호흡을 했다. 아직도 믿기지 않는지 이승만은 부인에게 몇 번이나 되물었다.

"항복 맞지? 일본이 항복했어."

"맞아요."

"아, 꿈은 아니겠지. 내일이라도 환국하게 됐어."

얼마나 기다리던 소식인가. 일본의 항복은 기정

사실로 알고 있었지만 이렇게 빨리 할 줄은 몰랐던 것이다. 눈가에 맺힌 눈물을 닦아냈다. 그렇게 10여 분 지났을까. 문밖이 갑자기 소란스러워졌다.

"여보, 친구들이 찾아왔어요."

"맞아들여요."

가깝게 지내던 이웃과 친구들 칠팔 명이 문밖에 찾아와 있었다. 이승만은 〈Japan Inside Out〉 책의 인세를 모아 마침 워싱턴 마운트 플리전트에 있던 2층 아담한 집을 장만하게 되었다.

"이 박사님, 뉴스 들으셨나요? 왜놈 왕이 항복했답니다."

"우리나라는 이제 해방이 되었습니다. 제 말이 맞지요?"

"내일이라도 귀국하셔야겠네요. 얼마나 좋으세요?"

이승만을 얼싸안으며 모두 환성을 지르고 기뻐했다. 이튿날 당장 귀국하기 위해 이승만은 비자 신청을 했다. 일주일 후에 와달라고 해서 갔더니 허가가 나지 않았다는 것이었다. 또다시 지난날의 어두운 그림자가 다가오는 듯하여 불안하기 그지 없었다. 불길한 예감을 하고 국무부 여권과장 쉬프레이 여사를 찾아갔다.

"여태까지 왜 비자가 나오지 않는 거지요? 일본은 망했고 내 조국은 이제 해방되어 독립을 찾게 되었어요. 알고 계시지요?"

"물론이에요."

"그럼 난 지금이라도 한시바삐 귀국해야 한다는 사실도 이해하시죠?"

"이해하고 말고요."

"그렇다면 비자가 빨리 나올 수 있도록 서둘러주십시오."

"알겠습니다."

그러나 어찌 된 일인지 이유 없이 시간을 지체하며 내주지 않았다. 해방된 한국 국내 사정이 혼란스럽고 아직도 일본인 관리들이나 경찰들이 남아 있어 곳곳에 위험이 도사리고 있다. 치안 상태가 안정되고 국내 사정이 정리되면 그때 귀국해도 늦지 않을 것이란, 궁색한 변명으로 늦어지는 여권 발급의 이유로 삼았다. 이승만의 귀국 일자가 늦어지자 국내에 있던 동지들은 왜 환국하지 못하느냐, 속히 돌아오라고 전문과 해방 당시의 정국 상황을 자세히 써서 편지를 보냈다.

"알려진 바로는 총독부가 일본이 포츠담 선언을 수락하여 연합국에 항복하게 되었다는 소식을 듣게 된 것은 8월 10일, 단파방송을 통해서였다고 합니다. 그러자 총독부 엔도 총감을 시켜 즉시 송진우를 만나 일본인들의 안전한 무사 귀국을 위해 국내 치안을 맡아달라 부탁했다고 합니다. 그러나 송진우가 거절하자 여운형을 만나 같은 부탁을 했던 바, 여운형은 다음 5개 항을 받아주면 원하는 대로 해주겠다고 약속했다 합니다.

1. 투옥된 조선의 정치범과 경제사범을 전원 즉각 석방할 것.
2. 8월에서 10월까지 3개월간의 서울시민 식량 확보 약속.
3. 치안 유지와 건설 사업 보장.
4. 조선 학생의 훈련 및 청년 조직에 대해 간섭하지

말 것.

5. 조선 노동자들의 건국 사업 참여를 보장할 것.

이리하여 여운형은 중도 우파로 알려진 안재홍安在鴻을 끌어들여 '조선건국준비위원회建準'를 만들고 전국적인 조직으로 만들어나가고 있습니다. 이들은 여운형 자신이 좌파이고 안재홍이 중도파인 데 비해 우파인 민족 진영의 참여가 없어 송진우를 끌어들이려 했지만 반대에 부딪혀 뜻을 이루지 못했습니다.

송진우의 불참 뜻은 정통성 문제 때문인 듯싶습니다. 중경 임시정부가 귀국하게 되면 어차피 임정이 정통이 되기 때문에 건준을 만들어봐야 필요 없게 된다는 생각을 한 것 같습니다. 아무튼 '건준'은 전국에 지부를 만들어가고 있으며 치안대를 조직하여 키워나가고 있는 형국입니다. 중요한 것은 우파 진영에 걸출한 지도자가 없다는 것입니다. 이 박사가 필요한 것은 바로 그 때문입니다.

"이 박사가 계신다면 여운형 정도가 어떻게 해방 정국을 주도하겠습니까? 하루속히 돌아오십시오."

그런 내용이었다. 이승만은 안 되겠다 싶었는지 비서인 장기영을 찾았다.

"즉시 귀국하게. 정국이 어떻게 돌아가는지 자세히 살피고 점령군인 미·소 양국의 내심이 뭔지 잘 알아보고 돌아오게."

"지금 현재는 북한에 소련군만 진주했다는 소식인데요? 미군은 아직 서울에 들어가지 못했답니다."

"좀 늦어질 뿐이지 진주하겠지. 어서 귀국하게."

"제가 한국으로 돌아가 있는 동안에는 박사님 여권 문제도 해결되겠지요?"

"돼야겠지. 돼야지! 안 내주는 이유에 대해 그걸 시원하게 알려주는 관리들이 없어. 뭔가 당국이 숨기는 게 있는 거 같아."

"숨기다니요? 뭘요?"

"미 당국은 날 못 믿겠다는 뜻이겠지. 그중에서 국무성은 날 기피인물로 보고 있는 것 같아. 그렇게 만들고 있는 세력은 정부 안에 들어 있는 친소親蘇 관리들이지. 그들은 두 가지 이유 때문에 나의 환국행을 막고 있는 듯해. 첫째는 미·소군이 남북한을 점령하면 미 정부의 뜻과 미군의 뜻에, 소련군의 뜻에 고분고분 잘 들어주고 하라는 대로 해주는 그런 허수아비 남한 지도자가 필요할 거야. 하지만 이승만은 아니다. 고집불통의 민족주의자이니 양국의 뜻대로 움직일 사람이 아니다. 더구나 대중적 인기나 성과가 없다면 몰라도 일단 귀국하면 국민적 지도자로 부상하여 거물처럼 되어버릴 텐데, 그러면 통제 불능이 되어버린다. 둘째 이유로는 소련의 비위를 거스를 필요가 없다. 미·소 양국은 한반도 안에서 서로의 이익을 위해 탐색전을 벌이겠지. 탐색전을 하는데 색깔이 뚜렷한 민족주의자 이승만이 나타나 먼저 휘젓고 다닌다면 안 된다. 미군이 진주하여 정국의 헤게모니를 잡은 다음에 귀국을 허락해도 해야 한다. 그런 이유 때문에 여권을 내주지 않고 이유 없이 미루고 있는 것 같아."

"박사님은 소련군에 대해 어떻게 보십니까? 우리 민족의 장래와 연관해서 말이죠."

"소련은 사회주의 공산 혁명을 성공했지. 부르주아 제국주의를 타도하고 노동자·농민 정권을 세우는 게 그들의 혁명이고 혁명을 성공한 지역을 해방구解放區, 소비에트라 하지. 그래서 소련을 소비에트연방이라 부르는 것이야. 다시 말하면, 이들 적군赤軍이 가는 곳엔 소비에트정권을 세우는 게 그들의 교리네."

"그럼 북한을 점령한 소련은 바로 그런 정권을 세우려 하겠군요?"

"그것 때문에 우리 집을 찾아온 로버트Robert Oliver 박사와 언쟁을 한 적이 있네."

"로버트 박사는 어떻게 주장하는데요?"

"그 사람은 현실주의자야. 소련은 이미 제정러시아 시절부터 조선에 관심을 기울이고 간섭했지. 러시아의 숙원은 얼지 않는 부동항不凍港을 갖는 것이었지. 그건 지금도 마찬가지야. 러시아는 요동반도 남단의 여순항旅順港을 중국으로부터 빼앗아 확보하고 한반도 주변에 트라이앵글三角型 부동항을 만들려고 획책했지. 동쪽에는 블라디보스토크, 서쪽에는 여순항, 남쪽은 한반도 남해안의 거문도를 탐냈었지. 그걸 이루지 못한 것은 러일전쟁이 일어났기 때문이야. 조선은 지정학적으로 러시아와 가깝네. 음으로 양으로 러시아의 영향을 받을 수밖에 없지. 공산 혁명의 여파는 반드시 불어닥치네. 소련군이 한반도에 들어오면 반드시 소련식 공산당 정부가 세워져야 한다고 작정하고 있을 것이야. 그렇게 보면 정치적 목적의식이 뚜렷하지 못한 미국으로서는 소련에 말려들 수밖에 없고 그리되면 해방정국에는 좌우합작 정부가 세워지게 될 것이네. 좌우합작 통일정부는 전 국민이 원하는 것이기 때문에 끝까지 반대할 명분이 없지. 이 박사 당신이 반대한다면 40년 독립운동 경력은 무너지고 새롭게 세워지는 정부에서 따돌림을 당하고 말 것이다. 그러니 환국 후 좌우합작 정부 수립을 미·소가 원한다면 그대로 따라가는 것이 현명하다고 본다. 로버트 박사는 이렇게 주장했다네. 그런 뜻을 지금부터 밝히면 국무성에서는 바로 여권을 내줄 것으로 보인다고도 했어. 나는 화를 냈지. 새 나라를 건설하는 새 정부는 모든 정파와 이념을 총망라해야 한다. 그런 뜻에서 공산당도 받아 장점만 발휘하게 하면 된다. 그런데 지금 여운형이란 인물이 건준이라는 걸 만들고 조직화하는 것을 보면 불안해진다. 밥상 차려서 소련에 바치는 게 아닌가 해서이다. 좌우합작, 명분은 좋지만 나중에는 좌파에게 흡수당하는 합작이 된다는 게 불을 보듯 뻔하다. 공산당의 이념과 사상은 그만큼 철저하고 세포조직은 그만큼 강력한 건축력建築力이 있어 우파는 상대가 되지 못한다. 로버트, 당신의 말은 새 나라, 새 정부는 공산주의 정권이 서야 하고, 한반도는 소련의 위성국이 되어야 한다는 말과 같다. 나는 배재학당을 나와 독립협회 운동을 하면서 지난 50여 년 동안 줄기차게 미국식 민주주의를 차용한 민주국가가 이 땅에 세워져야 한다고 부르짖어 왔다. 나는 나의 신념을 버릴 수 없다. 그런 언쟁을 벌인 적이 있고, 소련을 경계해야 하는 이유는 바로 그런 것들 때문이야."

이승만의 울분에 찬 강의를 듣고 난 장기영은 이튿날 아침 서울을 향해 떠났다.

이승만의 비자가 나와 귀국하게 된 것은 8·15 직후 2개월이나 지나서였다. 그 2개월 동안 국내의 정국은 예측 불허의 소용돌이 속에 휘말려 있었다. 가장 발

빠르게 움직인 인물은 여운형이었다.

총독부로부터 치안권과 거액의 자금을 넘겨받고 '건준'을 조직, 8월 15일과 16일, 단 이틀 만에 145개의 건준 지부를 만들고 162개소의 치안대 지소를 설치하는 역량을 발휘했다.

여운형은 중국 대학을 다니고 모스크바에서 유학하고 돌아와 독립협회 운동에 참여하고 상해 임시정부에 가서 국무총리 이동휘와 상해파 고려공산당을 조직한 장본인이었다. 그리고 김규식과 함께 '모스크바 극동 피압박 민족대회'에 참가하고 돌아왔으며, 일제에 피체되어 두 번이나 투옥되었으나 전향서를 쓰고 석방된 약점과 공산당원으로서 기회주의적 처세 때문에 비난받던 지도자 중 하나였다.

여운형은 한반도에는 미군이 오지 않고 소련군만이 진주하여 점령할 것으로 판단하고 있었다. 그럴 수밖에 없었던 것이 안재홍 같은 당시 국내에 있던 애국인사들도 국제 정보에 전혀 어두워 거의 모두 여운형 같은 생각을 하고 있었다. 따라서 해방정국은 사회주의 좌파가 득세한다고 보았다.

소련군은 아주 늦게 전황의 추이를 지켜보다가 히로시마, 나가사키가 원자탄을 맞고 일본의 항복이 임박해지자 8월 8일, 대일 선전포고를 했다. 그런 다음 재빨리 남만주를 거쳐 북한으로 진주했다. 소군이 발 빠르게 전의를 상실한 관동군을 격퇴하며 한반도로 들어오자 어물어물하고 있던 미국이 그제야 깜짝 놀라 이러다 한반도 전역을 소련에 빼앗기는 게 아닌가 싶어 황급히 얄타 비밀 회담에서 루즈벨트와 스탈린이 약속한 대로 38도선을 기준으로 군사분계선을 확정하고 소군은 북에, 남엔 미군이 분할 점령하자고 제안했다.

소련군은 이미 부동항을 손에 넣었고 한반도의 중요 자원과 산업 설비가 많은 북한 지역을 가지게 되었기 때문에 미련 없이 미국 제의를 받아들였다. 미군은 8월 20일에야, 그것도 일단 서울 상공에 B29를 띄워 미군 진주를 예고했다. 8월 31일, 미군은 일본 육군 대본영大本營에 한반도 점령을 통보했다.

그러고도 미군이 인천에 상륙하여 서울에 들어온 것은 7일이 지난 9월 8일이었다. 오키나와 주둔 미 육군 24군軍 소속 제7사단 3만 명이 들어왔다. 소련군보다 15일 늦게 진주한 것이었다. 병력에서도 소군과 미군은 큰 차이가 났다. 소군은 4만 이상이었던 것이다.

짧다면 짧은 그 15일 동안 소련군은 북한에 들어와서 많은 과업을 완수했다. 소련군은 8월 21일, 블라디보스토크 극동함대의 지원을 받으며 신속하게 함경남북도 해안을 따라 도시들을 접수했다. 8월 24일에는 평양에 입성했다. 8월 27일에는 38선 부근까지 진출했다.

소련군이 점령 후 맨 먼저 한 일은 38선 이남인 남한과 통하는 철도와 도로, 항만 그리고 통신을 끊어버린 일이었다. 8월 26일에는 평양에서 소련군의 지도로 '조선공산당 평안남도 도당道黨'을 결성하고 '조선공산당 북조선 분국分局'이란 간판을 내걸었다. 그런 다음에는 북한 각처에 자치 행정 조직인 임시 인민위원회를 설치하여 조직을 강화했다.

이어서 소련 점령군 사령부는 9월 14일, 중대한 포고문布告文을 발표했다.

1. 소련은 조선에 노동자 농민정권 수립을 소, 영, 미, 중 4국 간에 제안할 것이다.
2. 인구수에 비례하여 토지를 재분배再分配해야 하며 토착지주土着地主는 자기 경작 토지를 제외한 기타 토지 전체는 국가가 몰수, 빈농貧農에게 분배할 것이다.

　노동자 농민의 정권이라든지 토지몰수 재분배 등의 약속은 소련식의 공산당 정부를 소련의 지도하에 만들겠다는 말이었다. 한편 남한 내의 공산주의자들도 재빠른 움직임을 보였다. 미군이 오키나와를 떠나 한국을 향하고 있다는 소식이 전해지자 그들이 오기 이틀 전 '건준'의 이름으로 경기여고 강당에서 '전국인민대표자대회'를 열고 '조선인민공화국'을 수립했다. 미군이 들어오기 전, 조선의 전체 인민을 대표할 임시정부가 있다는 것을 과시하기 위해서였다.

　본인들의 승낙이나 양해도 없이 이름을 도용당한 경우도 많았는데 당시의 내각 명단을 보면 주석에 이승만, 부주석에 여운형, 총리에 허헌, 내정부장 김구, 외교부장 김규식, 군사부장 김원봉, 재정부장 조만식, 사법부장 김병로, 문교부장 김성수, 체신부장 신익희 등이었다.

특기할 일은 이승만이 주석으로 추대되었다는 점이었다. 미국에서 오지도 못하고 있는 처지인데 주석이 된 것이다. 이승만을 주석으로 만든 장본인은 일제시대 은신처였던 광주에서 올라와 공산당을 재건하기 위해 동분서주하고 있던 박헌영이었다. 조공朝共이야말로 좌우 인사를 총망라한 정부이며 국민적 지도자로 명성을 얻고 있는 이승만이 동참하고 있다는 걸 내외에 과시하기 위함이었다.

박헌영은 그것이 훗날 자신의 정치생명을 끊는 올무가 될 거란 사실을 몰랐다. 6·25전쟁 후반에 박헌영은 미제 스파이 혐의를 받아 북에서 숙청당했다. 미제 간첩 혐의 속에는 이승만을 주석으로 추대했던 것도 증거로 제시되었다.

박헌영은 골수 공산주의자였다. 그는 모스크바에 유학하여 '동방 노동자 공산 대학'을 나왔으며 고려공산당이 처음으로 창당되었을 때는 국내에 청년 공산당을 조직하고 지도하기도 했고, 일제가 공산당을 불법 단체로 인정하고 강력한 탄압을 가하자 지하에 조직을 숨기기도 했다.

소련군이 진주하고 소련공사관을 통하여 맨 먼저 찾은 국내 인물이 박헌영이었다. 그만큼 박헌영은 인정받고 있던 공산당의 이론가요, 조직가요, 지도자였다. 해방 당시 전국 형무소에서 풀려 나온 정치범 거의 모두는 공산당 운동에 관계되어 항일하던 인사들이었다. 박헌영은 그들을 다시 결집하고 무흠無欠한 공산주의자들을 불러 모아 공산당 재건을 시도했다.

박헌영은 1931년, 소련 공산당 중앙으로부터 조선 공산당을 재건하라는 지령을 받았다. 해방 후 소련 공사관에서는 박헌영을 찾아 그에게 재건 자금을 전달하고 격려했으며 소련공사관 부영사이며 게페우KGB. 소련비밀정보국 서울 책임자인 아나톨리 샤브신Anatole Shabshin은 박헌영을 매일 두 차례씩 의무적으로 불러 정치 정세를 분석하고 모스크바의 지침을 전달하기도 했다.

　박헌영의 논문인 〈8월 테제(현 정세와 우리의 임무)〉가 집필된 것은 바로 그즈음이었다. 그 논문은 '공산당 재건위원회'가 결성될 때 조선 공산당의 정치 노선과 당면 과제를 밝히는 지침서가 되었다.

2. 걸어서라도 가리라

그렇게 확실한 이유도 없이 질질 끌던 여권이 나온 것은 조국이 해방된 지 2개월이 지나서였다. 그것도 우여곡절을 겪은 다음이었다. 9월 5일이 되어서야 국무성으로부터 여권 발급 허가를 받았다. 그런데 한반도는 미군 작전 지역이므로 미 육군 태평양사령관인 더글러스 맥아더의 여행 허가서를 받아야 했다.

허가서를 받자 이번에는 이승만의 신분, 자격이 문제가 되었다. 합참의 스위니 대령은 이승만이 대한

민국임시정부의 전 대통령이며 현 준 외무장관으로
인정하여 신분을 '재미 한국 고등판무관在美韓國
高等辦務官. High Commissioner from Korea to the United States'
으로 하여 허가를 했다. 판무관은 위원, 이사, 대표
등을 부를 때 쓰는 명칭이었다. 그러자 국무성에서는
자격에 문제가 있다며 비자 허가를 취소했다. 미국은
임시정부를 승인한 적이 없으므로 그 명칭으로
귀국할 수 없다는 것이었다. 이승만은 결국 개인
자격으로 환국하겠다는 뜻을 전하여 허가를 받았다.

초라하고 불편한 환국이었다. 해방된 조국에
들어가는 길이 이처럼 어렵고 지루할 줄 몰랐다.
10월 5일이 되어서야 이승만은 가까스로 뉴욕에서
출발하는 군용기에 오를 수 있었다. 군용 비행장에는
부인 프란체스카와 구미위원부 직원들이 나와
전송했다. 함께 가지 못하고 혼자서 먼저 귀국하니
미안하다며 부인을 위로했다. 그런 다음 그는 친지와
친구들을 바라보며 비장한 한마디를 남기고 트랩에
올랐다.

"나 한 사람, 오든지 가든지 죽든지 살든지 일평생

지켜온 한 가지 목적으로 살며 끝까지 갈 것입니다. 걸어서라도 가겠다던 내 조국입니다."

이승만은 그로부터 5일이 지난 후에야 맥아더 사령부가 있는 동경에 도착했다. 그렇게 오래 걸린 것은 군용기를 번갈아 가며 타야 했기 때문에 경유지가 많아 지체되었던 것이다.

"얼마나 고생하셨습니까? 박사님!"

맥아더Douglas MacArthur는 이승만을 따뜻하게 맞아주었다. 그를 만남으로써 국무성에 가졌던 서운함과 불쾌감을 다 떨쳐버릴 수 있었다. 맥아더는 이승만이 필라델피아에서 창립했던 '한미우호협회'의 지원 멤버이기도 했다. 미국에서 독립운동을 하려면 정부기관보다는 외곽의 유력 인사들을 지원 세력으로 묶는 게 좋겠다고 하여 만든 단체가 우호협회였다.

"이젠 안심하십시오. 서울까지는 특별기를 내드릴 테니 편안하게 들어가실 수 있을 겁니다. 그리고 만나볼 사람이 있습니다."

잠시 후 부관의 안내를 받고 사령관실로 들어온 사람은 육군 중장 하지John R. Hodge였다.

165

"박사님, 소개합니다. 태평양 제7군 단장 하지 장군입니다. 하지 장군은 오키나와 상륙작전에서 혁혁한 전공을 세운 자랑스러운 장군입니다."

하지가 거수경례를 하자 이승만은 그의 손을 잡고 악수를 청했다.

"과찬이십니다. 처음 뵙습니다. 육군 중장 하지 장군입니다."

"반갑소. 나는 이승만입니다."

"박사님은 돌아온 한국 민족의 영웅이십니다. 대한 민국임시정부 초대 대통령을 지내셨고 주미 한국 위원회 위원장이십니다. 서울에 돌아가시면 최선을 다해서 박사님 하시는 일을 도와주십시오."

맥아더가 당부했다.

"예, 알겠습니다."

"하지 장군은 이번에 주한 미군 사령관으로 발탁이 되어 미군을 이끌고 서울에 입성했습니다. 아마 앞으로도 계속 서로 만나야 할 분이라서, 마침 동경에 와 있던 하지 장군을 부른 것입니다."

맥아더는 일부러 공무차 동경에 와 있던 하지를

불러 소개하며 이승만을 도와주기를 바랐다. 이승만은 이윽고 맥아더가 마련해준 군용기 편으로 1945년 10월 16일 김포공항에 도착했다. 트랩을 내려서서 조국 강산을 둘러본 그는 가슴 벅찬 감개를 억누를 수 없었다. 몇 년 만의 귀국인가. 33년 만의 귀국이었다. 무국적자의 설움을 견디어가며 오직 조국의 독립을 되찾기 위해 세계를 돌아다니던 그는, 이제 백발이 성성한 초로의 신사로 그토록 원하던 대한민국의 국적을 되찾는 첫발을 내딛고 있었던 것이다. 개인 자격이란 단서 때문이었는지 출영객은 단 한 사람도 없었다.

"차를 타시죠."

미군 소령이 부하 장교 세 명과 함께 다가와 권했다. 그들은 군용 지프를 가지고 대기하고 있었다. 김포공항을 떠난 차는 서울 시내로 들어가 미군 고위 장교들의 숙소로 이용되던 조선 호텔에 여장을 풀었다. 저녁이 되자 미 육군 소장 군복을 입은 고급 장교가 찾아왔다.

"길고 지루한 여행하셨습니다. 본관은 주한 미

군정청 군정 장관 아놀드A. V. Anold 소장입니다. 박사께서 귀국하셨으니 곧바로 기자회견을 하시는 게 좋겠다는 군정청의 계획을 말씀드립니다."

"회견은 언제로 잡았지요?"

"내일 군정청조선총독부가 있던 중앙청 제1회의실에서 오전 10시에 있겠습니다."

"고맙소."

이튿날 10월 17일, 예정대로 200여 명의 기자들이 몰려들어 기자 회견장을 꽉 채웠다. 그토록 지난 세월 이국땅을 돌며 한국 독립을 위한 강연을 수백 회 이상 하고 다녔지만 오늘처럼 벅차오르는 흥분은 처음 느끼고 있었다. 그토록 오고 싶던 내 고향, 내 집에 와 있다는 기쁨과 행복감 때문이었다.

이승만은 단위에 올라 간밤에 작성했던 성명서를 특유의 떨리는 목소리로 낭독했다.

"나는 장차 조선의 자주독립을 위해 몸 바쳐 일하겠습니다. 싸워야 할 일이 있으면 싸우겠습니다. 4천 년의 우리 역사가 암흑에 묻혀 있는 것은 우리 민족의 불민不敏의 탓이오, 그중에도 나처럼 나이 많은 사람들의 잘못 때문이었습니다. 젊은이들이 나서야 합니다. 4천 년 역사를 꽃피울 호기가 우리 앞에 있나니 우리는 하나로 뭉쳐야 합니다. 덮어놓고 뭉칩시다. 뭉치면 살고 흩어지면 죽습니다."

그런 내용이었다. 만장의 박수 소리가 터져 나오고 기자들의 궁금했던 질문이 쏟아졌다.

-해방 직후 지난 2개월간 인민의 의사에 의한 진정한 민주 정부를 세우자는 여론과 활동이 전개되고 있는 국내 정치 상황에 대한 견해를 듣고 싶습니다.

그에 대해 이승만은 원론적인 발언만 했다.

"나에게는 현재 아무런 정견政見이 없습니다. 다만 국내의 여러분과 합심하여 우리 손으로 우리 국가를 하루빨리 세워야겠다는 말밖에 할 수 없습니다."

-중경에 있는 대한민국임시정부가 국제적 승인이나 신임을 받고 있다고 보십니까?

"불행하게도 그토록 애써왔지만 승인이나 신임을 얻지 못하고 있습니다. 하지만 중국에 있는 우리 동포들과 미주에 있는 1만 명의 우리 동포들은 국세

國勢까지 바쳐온 우리 정부였습니다. 임정 주석 김구 씨는 여러 동지들과 생명을 바치고 우리 독립을 위하여 영웅적 투쟁을 하여 왔습니다. 모두들 믿고 추대하여도 넉넉한 우리의 진정한 지도자라고 생각됩니다."

─미·소 양군은 38선을 경계로 분할 점령했습니다. 이런 사태에 대해 어떤 대안을 가지고 계십니까?

"우리나라가 왜 이렇게 분할 점령되었는지 중국이나 미주에 사는 동포들처럼 나도 그 전말을 모르고 있습니다. 앞으로 철저하게 알아볼 생각입니다."

이승만의 환국에 대한 국민적 환영은 뜨거웠다. 신문들은 즉시 오후에 호외를 찍어 돌리고 경성방송국 라디오 방송은 당일 오후 7시 30분, 이승만의 귀국 성명 첫 방송을 내고 일주일 동안 연속해서 중복 녹음 방송을 내보냈다. 서울 시내에 있던 옛 동지들이 삼삼오오 방문하여 회포를 풀었다.

늦은 밤이 되자 이승만은 비서 장기영을 불러 그동안 국내 정국의 변화 상황을 보고받았다. 두 달이나 늦게 왔기 때문에 국내 사정이 어두웠다. 그 때문에 미국에 있을 때 장기영을 미리 귀국시켰던 것이다.

"박사님은 2개월, 그러니까 61일 늦게 귀국하셨습니다. 해방 후 2개월은 2년과 맞먹을 만큼 다사다난多事多難 그 자체였습니다. 아시고 계시겠지만 일본 총독부는 이미 항복 방송 5일 전에 항복하리란 걸 알고, 조선에서 자국민과 군인들을 무사히 철수시키기 위해 여운형에게 치안권을 맡겼습니다. 충분한 자금도 받았고 여운형은 중도파인 안재홍과 함께 '조선 건국 준비 위원회'란 것을 조직했습니다. 좌파와 중도파가 연합했으니 우파의 참여가 필요하여 송진우를 끌어들이려 했지만 반대하여 무산되었습니다."

"반대 이유는?"

"중경 임정이 귀국하면 건준은 임정이 중심이 되어야 정통성을 인정받게 된다는 것이 표면상 이유이고, 우파는 민족 개량주의 본산으로 좌익들의 비난을 받아온 데다가 일제에 맞서 치열하게 항거한 전력이 약해 의기소침해 있어서였던 것 같습니다."

"왜놈 밑에 남아서 말없이 항거하며 민족의 실력을 기르는 데 힘을 기울이자고 한 그들의 투쟁 경력도 평가해야 마땅하다. 그건 그렇고 건준은 어찌 되었나?"

"건준 창립 단 이틀 만에 그들은 145개의 건준 지부와 162개소의 치안대 분소를 전국에 설치했습니다. 미군이 서울에 입성한 것은 9월 8일이었습니다. 그러니까 건준은 8·15 후 23일 동안 마치 전국을 대표하는 단체로 부상하고 행세를 했지요. 당시 여운형을 비롯한 애국 인사들은 한반도는 소련군만이 진주하고 점령할 것으로 판단했답니다. 여운형은 그걸 기대하고 기세를 올렸는데 세 가지 사건이 치명상을 가했습니다. 첫째는 예상치 못한 미군의 진주와 남북한 분할 점령이란 카드이고, 또 하나 미군은 군정을 실시한다는 포고문을 발표하며 조선인들의 독립적 자치기구는 일체 인정하지 않겠다고 선언했던 것입니다. 이 때문에 건준이 유명무실해졌습니다. 하지만 이 지방조직은 아주 큰 의미가 있습니다. 왜냐하면 9월 6일 건준에 이어 좌익 쪽에서는 미군이 들어오기 이틀 전에 경기여고 강당에 모여서 '조선 인민공화국'을 수립했는데 건준의 지방조직은 모두 인공의 임시 인민위원회가 되었기 때문입니다."

"인공은 박헌영의 작품인가?"

"그렇습니다. 해방 후 일부 공산주의자와 떠돌이 游休 공산주의자들이 먼저 모여 장안파 공산당을 창당 했습니다. 장안 빌딩에서 생겼다 하여 장안파라 했지요. 박헌영이 은신처인 광주 벽돌 공장에서 상경한 것은 8월 하순으로 알려졌습니다. 소련공사 관에서 찾고 있었답니다. 박은 상경하자마자, 장안 파는 공산당 조직의 기본조차 거치지 않았기 때문에 불법이니 해산하라며 이른바 '조선 공산당'을 재건 했습니다."

"내 이름까지 인민공화국 주석으로 이용했다는 건 알고 있지. 소련군의 동향은?"

"북한 지역을 점령한 소련군은 두 가지 측면에서 미군과는 완전히 다른 행태를 보이고 있습니다. 첫째, 그들은 소군사령부 명의로 포고문을 발했는데 내용을

173

보면 미, 소, 영, 중 4국과 상의하여 '노동자 농민정권'이 조선에 수립되도록 할 것이다. 둘째, 지주들의 토지를 몰수하여 빈농에게 무상으로 분배하겠다."

"그건 소련식 프롤레타리아 혁명 방식인데 그대로 만든다?"

"소련군은 모스크바 당 중앙의 지시대로 처음부터 조선을 적화赤化할 수 있는 공산주의 위성국으로 만들겠다고 작정하고 들어온 것 같습니다. 더구나 이해할 수 없는 것은 38선을 남북 분단선으로 만들고 남한 쪽으로 통하는 철도, 도로, 항로, 통신, 전력 공급 등을 끊어버리고 남북한을 고립시키고 있다는 점입니다. 일본군과 싸워서 점령한 땅도 아니고 이미 항복한 일본군과 주민 처리 문제, 철수 그리고 현지의 치안 문제 해결을 위해 단순히 남북한 분할 점령이 이루어진 것인데 소련은 담벼락을 쳐서 분단을 시키고 있습니다. 왜 그럴까요?"

"공산정권을 수립하기 위해서 그 정지 작업을 하려는 것이겠지. 남한처럼 서로 잘났다고, 서로 제가 해야 한다고 백가쟁명百家爭鳴을 벌이면 혼란만 계속되고 정권 수립을 빨리 할 수 없다. 북으로 불똥이 튀지 않게 하려고 벽을 친 것이고 두 번째 이유는 친일파 숙청이다. 먼저 깨끗하게 청소한 뒤에 일을 벌이자. 세 번째로는 토지 분배 때문에 벌어질 아비규환阿鼻叫喚의 혼란을 막는 데 필요하다."

"그렇겠군요. 박사님의 입국이 까닭 없이 지연된 것도 따지고 보면 소련 정부와도 밀접한 관계가 있다고 보이는데요?"

"자네 얘기를 들어보니 그런 생각이 드는구먼. 날 미 국무성 기피 인물로 만든 자들은 정부 내의 친소파 관리들이었지. 대표적인 고급 관리들이 A. 히스 특별정치국장, J. C. 빈센트 극동정치국장, 그 외에도 핸슨, 서비스, 클럽 등등 한길수나 김원용 등을 시켜 우리 교민사회에서 내 위신을 깎아내리고 반 이승만 비판에 선봉을 서게 한 자들도 바로 그들이었어. 날 미국에 잡아둔 것도 그자들이지. 소련군이 먼저 북한에 들어와 공산정권을 수립할 때까지 날 못 들어가게 한 것이야."

"여기 와서 저도 그렇게 생각했습니다."

"미군의 동향은 어떤가?"

"군정을 실시하고 현존하는 일본 총독부의 여러 관청과 기관 및 관리와 직원을 계속 이용할 것이다. 그리고 좌우합작 정부가 수립될 때까지 과거 일제 총독부 통치 방식에서 벗어나지 않을 만큼 적당히 다스리다가 때가 되면 물러나겠다는 게 미군의 태도입니다. 실제로 미군은 마지못해 남한 땅에 상륙하는 것처럼 천천히 온 데다가 미군은 공공연하게 한국은 자치 능력 부족으로 이른 시일 안에 독립할 수 없다. 따라서 한국민은 미군에게 복종하고 자중하며 질서를 지켜 생업에 전념하기만 하면 된다. 그러면서 일본인 관리들을 그 자리에 그대로 앉히고 다스렸습니다.

한국민들을 피압박 피해 국민으로 보는 게 아니라 미군은 처음부터 준적성국準敵性國 국민으로 대한 것입니다. 미 군정은 진주해 온 3일이 지난 후, 그때까지 '대일본제국 조선 총독부'라는 명칭을 '주한 미 육군정청United States Army Military Government in Korea'으로 바꾸었습니다. 애초 하지는 남한 지역에 군정청 대신 일본 총독부를 그대로 존속시키며 적당히 통치를 해보려 한 게 아닌가 싶습니다. 군정청이 출범하면서 하지가 각 부서장에 임명한 미군 장교는 109명이었는데 이들은 한국에 대한 지식이 전혀 없는 직업군인이었고, 다만 마닐라를 떠날 때 한국에 관한 간단한 소양素養 교육을 받은 게 전부였다고 합니다. 소련군과는 대조적이지요.

이미 그들은 스탈린으로부터 조선에 진주하면 '노동자 농민의 사회주의 정권'을 세우라는 지령을 받아 왔고, 일제 강점기부터 지하에 숨어 암약해 오던 탄탄한 공산당 조직을 살리고 소련군 내의 조선 출신 장교들을 앞세워 임시 인민위원회 조직책을 맡겼고, 그중에 소련군 장교 김일성을 조직 담당책으로 임명하여 '조선공산당 평안남도당'을 조직하게 하고 박헌영과 발을 맞춰 '북조선 공산당 분국'이란 간판을 내걸게 했습니다."

이승만이 장기영 비서와 이야기를 하는 동안에 한민당 간부들이 찾아왔다는 전갈을 받았다. 이승만의 귀국을 축하하기 위해 온 것이었다. 방안으로 들어온 사람들은 한민당 수석인 송진우를 비롯하여 장덕수, 조병옥, 김병로, 허정, 김도연, 서상일 등이었다.

3. 뭉치면 살고 흩어지면 죽는다

"어서들 오시오, 동지들."

"박사님 환국 개선을 축하합니다."

반가운 인사가 오고 간 뒤에 조병옥이 단도직입적으로 권유했다.

"저희가 이렇게 온 것은 박사님을 우리 당 영수領袖로 모셨으면 해서입니다. 우리 한국민주당이야말로 중경 임정을 법통으로 하고 조선의 서민들과 중산층을 대변하는 민족 정당으로 출범했습니다.

근원을 두자면 독립협회와 만민공회를 뿌리로 하여 개신교 교단과 흥업구락부 등 박사님 지지 세력이 다 모여 있으니 박사님은 꼭 참여하셔야 합니다."

이승만은 미소만 지을 뿐 말이 없었다. 찾아온 한민당 간부들은 이승만과 동류同流의 계파인데 조병옥만은 흥사단 계였다. 조병옥은 도미하여 컬럼비아 대학을 나왔고 미국에 있는 동안에는 흥사단 출신이면서도 이승만의 대미 국제 활동에 음양으로 많은 도움을 준 후배이기도 했다. 그가 직접 당가입을 먼저 권유한 것은 친밀해서이기도 했겠지만 바른 소리 잘하는 성격 때문이기도 했다.

"군정청에서는 조선 내의 어떠한 정당이든 사회단체든 독립적 자치기구를 인정하지 않겠다고 진주進駐 제일성으로 포고했습니다. 박사님도 그래서 개인 자격으로 들어오신 것이고 임정 요인들도 임정 자체를 인정하지 않으니 개인 자격으로 들어와야 한다는 것 때문에 귀국이 지연돼 온 겁니다. 우리 한민당은 창당하고 바로 군정청에 대하여 명망과 식견을 갖춘 한국인으로 '자문위원회'를 구성해서 함께 나가자 하여 하지가 흔쾌히 승인했습니다. 한민당은 군정의 자치 단체 불인정에서 벗어난 합법 정당이 된 것이올시다. 박헌영 인공 등은 여전히 인정치 않는다 했습니다. 박사님이 나서실 때가 되었습니다. 함께 일하시지요."

"동지들, 난 어제 조국에 돌아왔습니다. 국내 제諸사정에 깜깜합니다. 두루 살피고 입지立地를 정할 수 있게 해주시오."

완곡하게 거절했다. 오후가 되자 이번에는 좌익계에서 찾아왔다. 여운형, 허헌, 이강국, 최용달 등이었다. 인사를 마치자 이강국이 나서서 가방을 열고 서류들을 꺼냈다.

"먼저 오늘 아침 저희 조선인민공화국 이름으로 발표한 이승만 박사 환영 위원회의 환영 성명을 읽어보시지요."

그러자 최용달이 이강국에게 말했다.

"대신 읽어드리시오."

"그럴까요? 그럼 제가 읽어드리겠습니다. 조선 인민공화국 주석主席 이승만 박사가 드디어 귀국하였다. 3천만 민중의 경앙대망敬仰待望의 적的이었던 만큼 전국은 환호에 넘치고 있다. 우리 해방운동에 있어서 박사의 위공偉功은 다시 말할 필요조차 없다. 조선인민공화국의 주석으로의 추대는 조선 인민의 총의總意이며 이러한 의미에서 해방 조선은 독립 조선으로서의 위대한 지도자에게 충심으로 감사와 만강滿腔의 환영을 바치는 바이다."

읽기를 마치고 이강국은 다른 서류들을 꺼내어 놓았다.

"이 서류들은 인민공화국 수립 과정에 관한 관련 자료 문건들입니다. 환영사에서 밝힌 바와 같이 인민공화국의 주석으로 추대는 전 조선 인민의 총의라 보시고 공식적으로 주석에 취임하시겠다는 약속을 해주십시오. 그래서 저희가 온 것입니다."

"잘 알겠소. 하지만 분명히 난 아무런 정견이 없다고 밝혔소. 그리고 지금은 어찌 됐든 덮어놓고 누구든 막론하고 뭉치자는 게 나의 주장입니다. 상식적으로 보아 내가 임시정부의 법통을 무시하고 공산당 손만 들어준다면 편파적으로 보이지 않겠소? 좌우든 전후前後든 덮어놓고 하나로 통일된 민족정부만이 살길이라 봅니다. 성급하지 말고 좀 더 두고 봅시다."

이승만은 시간을 좀 더 달라 했다. 숙소인 조선호텔로 찾아온 정치인들은 그들뿐이 아니었다. 한결같이 찾아온 그들은 자기들의 대표가 되어달라 했다. 저녁부터 국내에서 활동하던 이승만 계열의 인사들이 하나둘 모여들면서 장래 문제를 상의하게 되었다.

모인 사람은 장두현, 이갑성, 구자옥, 박동안, 유억겸, 홍종숙, 오화영, 유일한 등이었다. 이들은 이승만의 사조직이었던 흥업구락부 회원들이 대부분이었다. 그들은 좌든 우든 한쪽에 치우치지 말고 연립정부 구성 준비에 나서야 한다고 건의했다.

마침내 이승만은 자신이 거처하고 있던 조선호텔로 전국의 65개 정당, 사회단체 대표 200여 명을 모이게 했다. 환국한 지 일주일 만이었다. 이승만은 초청 연설을 통하여 해방 후 우후죽순처럼 솟아난 단체들이 제각각 다른 목소리를 쏟아내는 바람에 세계는 조선이 무엇을 요구하는지 모르고 있다.

모든 단체가 오늘 모임을 기해 하나로 뭉쳐 한 가지 목소리만 내자. 타국인들이 조선을 알려면 모두 가서 물어볼 만한 책임 있는 기관을 만들자고 강조했다. 그러자 좌익 계열인 '하병동맹'에서 친일파 치단 없이는 혼란 때문에 대동단결은 불가능하다고 들고 나왔다. 이어서 조선공산당에서도 같은 문제를 제기하고 임정을 계승하고자 하는 이승만의 의사에 반기를 들었다. 임정의 법통을 계승하자는 것이 한민당이었기 때문에 반대를 한 것이다.

이날의 모임은 난상토론에 깨어질 뻔했으나 가까스로 봉합되어 '독립촉성 중앙협의회獨立促成中央協議會'라는 정당, 사회단체 통합 협의체를 발족시키게 되었다. 그리고 중도인 국민당 대표로 참석한 안재홍의 천거로 이승만을 촉성회 의장으로 선출하였다. 그리고 이승만은 환국한 지 8일 만에 송진우의 부탁으로 장덕수가 돈암동에 마련한 '돈암장'으로 거처를 옮겼다. 박헌영은 10월 30일 기자회견을 열고 이승만의 무조건 통합론에 '조건부 통합론'이라는 걸 내걸었다. 그걸 받아들이지 않으면 공산당과 인공은 '독촉'에 남아 있을 이유가 없다는 것이었다.

"조선에는 아직도 일본 잔재 세력인 친일파가 잔존하고 있다. 친일파를 근절시킨 다음 옥석을 가려 순전한 애국자, 진보적 민주주의 요소만을 한데 뭉치게 하여 통일하지 않으면 아니 된다."

그러자 이승만은 이튿날 박헌영을 돈암장에 불러 장장 4시간에 걸친 마라톤 회담을 하며 설득했다.

"박헌영 씨, 우리 독촉은 3천만의 총의를 대변하는 통일된 기관으로 인정받아야 합니다. 그래야만 미국이나 소련에서 무시를 못 합니다. 굳게 손잡고 하나로 통합하여 나갑시다. 지금은 뭉쳐야 할 때라는 걸 누구보다 잘 알고 계시지 않습니까?"

"선先 친일파 숙청, 후 정당 단체 통합의 수정 안건을 양보할 수는 없습니다. 회사후소繪事後素라 하지 않았습니까? 그림을 그리려면 바탕부터 깨끗하게 흰색 칠을 해야 한다 했습니다. 민족 반역자들과 친일파부터 쓸어내야 합니다. 미군 하는 짓을 보십시오. 숙련된 관리들이 없으니 친일파는 물론 일본 관리까지 그대로 자리에 앉혀두고 있었습니다. 그런 마당에 민족 통합 정부 구성이라고요? 우리 인민의 힘으로라도 친일파 숙청 작업을 해야 합니다. 그런 다음 통합하는 게 순서입니다."

"다 옳은 주장입니다. 그걸 반대하지 않소. 하지만 현실적으로 불가능하지 않습니까? 친일파를 처단하려면 우리의 힘 가지고는 안 됩니다. 미 군정청이 적극 나서서 민족 반역자 처단 법을 제정하고 우리에게 함께 시행하자 해야 하는데 그게 가능하겠습니까? 그렇다고 해서 군정에 시위하고 요구를 하면 정국이 더 경색될 뿐입니다. 그러니 먼저 우리 독촉이 하나 되어 강력한 파워를 가지고 군정과 파트너가 되어 친일파 숙청을 유도하면 자연스럽게 될 수 있다고 봅니다. 그러니 친일파 숙청은 나중에 해도 늦지 않습니다."

양측 주장이 팽팽하게 맞서는 바람에 회담은 4시간이나 소요되었다. 결국, 박헌영이 마지못해 이승만의 주장을 수용하는 것처럼 하여 회담은 의견 일치를 본 듯이 성명이 발표되었다. 이윽고 11월 2일,

'조선 독립 촉성 중앙협의회' 제1차 회의가 천도교 대강당에서 수백 명의 각 정당 대표들이 참석한 가운데 열렸다.

이승만은 개회사를 했고 토의 안건에서 소, 영, 중, 미 등 4국에 결의안을 보내는 안건을 채택해달라 했다. 이승만 스스로 집필해온 결의안 초안은 3가지 주장이 들어 있었다. 첫째, 4국은 조선의 완전 독립을 보장하고 둘째, 남북 분할 점령 경계선인 38선을 폐지해줄 것. 그리고 셋째로는 신탁통치 절대 반대는 우리 민족의 강력한 주장임을 결의안에 포함하고 있었다.

그런데 공산당은 이승만의 발언 중에 '38선으로 남북이 분단된 것은 우리 민족이 한 게 아니라 4개국에 책임이 있다'는 구절과 '중경 임시정부를 승인하여 줄 것'과 '곧바로 요인들이 귀국을 하도록 해야 한다'라는 구절을 문제 삼아 38선 책임 운운은 우리를 해방해준 열국에 대한 은의恩誼를 부정하는 불온함이고, 임정 문제 또한 시기상 거론할 때가 아니며 오로지 친일 세력 숙청 후 각종 정치세력의 대동단결로 나가야 한다고 주장했다.

'독촉중앙협'은 주도권을 두고 3파전을 벌이는 양상을 띠게 되었다. 이승만과 공산당의 박헌영, 거기에 인민당의 여운형 세 사람이었다. 박헌영의 요구에 따르지 않자 그들은 곧바로 이승만에게 '조선인민공화국' 주석에 취임하라고 압력을 가했다. 그러면서 취임하지 않으면 "이 박사를 지도자로 지지하지 않을 뿐 아니라 민족 통일 전선 분열의 최고 책임자로 규정할 것"이라고 못 박았다.

둘 중 하나를 선택하라는 것이었다. 이승만은 11월 7일, 라디오 방송을 통해 주석 취임 거부 의사를 밝히고 자신은 중경 임시정부의 한 사람이라 말했다. 이로써 조선인민공화국이란 기구와는 결별의 순서를 밟게 되었다. 박헌영은 여운형과 손을 잡고 주도권을 잡기 위한 마지막 승부수를 띄웠다. '중앙 집행위원'을 선출함에 있어 자파가 우세하게 차지하여 독촉의 헤게모니를 잡자는 것이었다. 과반수의 의석을 얻어야 하는데 그에 미치지 못하자 박헌영은 집행위원 선출을 보이콧하며 독촉에서의 탈퇴를 시사했다.

이승만의 측근들은 비상회의를 했다. 일곱 명이 모였는데 거의 같은 의견이었다.

"공산당을 이길 수는 없습니다. 그들은 한다고 하면 하고야 마는 사람들이기 때문입니다. 우리와 다른 점은, 첫째로 그들은 확고한 공산당 사상과 목적이 있습니다. 둘째로 그들은 언제나 그물망처럼 누구도 빠져나갈 수 없는 조직 속에 살고 있습니다. 셋째로 일사불란, 명령하에 움직이는 충성심이 있다는 것입니다. 그들은 그런 것들을 바탕으로 투쟁하고 빈틈없는 전략, 전술을 구사하며 나서기 때문에 그들과의 협상에서는 이길 수가 없습니다."

"그렇습니다. 박헌영은 '인공'이 군정청으로부터 거부당하자 전략을 바꾼 겁니다. 전 민족의 총의로 만들어진 '독촉'을 차지하여 공산당 정권 수립의 목적을 달성하자는 거지요. 북한 쪽은 단일 정당이나 다름없는 공산당이 친일파 숙청을 하겠다고 나서자 소련군이 적극 도왔습니다. 하지만 남한은 친일파 숙청에 대해서는 미군 쪽부터 고개를 흔들고 미온적인데다 온갖 정당, 사회단체들이 백가쟁명하고 있어 한다 해도 언제가 될지 하대명년何待明年 아닙니까? 현재 불가능하다는 걸 누구보다 잘 알면서 전가의 보도처럼 일이 잘 안 풀리면 선先 친일파 숙청후 통합을 주장합니다. 아니면 이미 시효가 지나도 한참 지난 인공 주석에 취임하라 협박이나 하고. 이게 다 그들의 전술입니다. 계속 끌려갈 필요 없다고 봅니다. 그들과 함께 갈 수는 없습니다. 함께 가다간 배가 전복되어 난파당하거나 아니면 저들에게 배를 빼앗기고 우린 익사하고 말 것입니다."

그러자 잠자코 듣고만 있던 이승만이 한숨을 내쉬며 말을 받았다.

"나도 공산당의 생리는 상해 임정 시절부터 겪어봐서 알 만큼 알고 있소. 그럼에도 박헌영과 만나고 그들을 포용하고 좌우가 모두 동참하는 민족 대동단결의 '독촉'을 만들어보자 한 것은 그들 역시 나와 동감하는 마음이 있을 거란 기대 때문이었소. 하지만 그들은 민족보다 당이 먼저라며 한 치의 양보가 없어 날 실망하게 했습니다. 조금 더 참고 기대해보고 태도를 정합시다.”

이승만은 겨우 측근들의 분노를 무마하고 독촉의 중앙 집행위원 선출까지만 지켜보자 했다. 정당별로 총 39명의 중앙위원을 배정, 선출하기로 했다. 굳이 따지면 좌파와 우파의 의석수는 반반이어서 외견상 공정했다. 하지만 공산당은 그것을 문제 삼았다. 자기들 계열이 과반수가 되어야 하는데 그게 아니니 아무런 힘을 쓸 수 없다는 것 때문에 ‘독촉’에서 탈퇴하겠다고 선언했다. 공산당과의 결별을 먼저 선언한 측은 이승만이었다. 방송을 통하여 “한국은 공산당을 원치 않는다는 것을 세계 각국에 선언한다”고 말문을 연 그는 그들이 신생 조국에 얼마나 큰 죄악을 저지르고 있는지 스스로 알아야 한다며 매도했다. 공산당은 이에 반발하여 11월 23일, 독촉 탈퇴를 기정사실화하는 성명을 발표했다. 뒤이어 여운형의 인민당도 동반 탈퇴를 선언했다.

이윽고 11월 23일. 중경에 있던 대한민국임시정부 임정 요인 1진이 귀국하게 되었다. 김구 주석 외 김규식, 김원봉 등 15인이었다. 이승만처럼 그들도

191

개인 자격으로 귀국한 것이다. 김구는 광산업자이며 갑부였던 최창학이 마련해준 서대문의 죽첨장竹添莊, 나중 경교장으로 개칭으로 가 거처를 정하게 되었다. 그때부터 이승만의 기치는 돈암장, 김구가 거처하던 곳은 경교장으로 불리게 되었다.

그날 밤 이승만은 경교장으로 김구를 찾아가 옛 정을 살리며 회포를 풀었다. 이튿날은 김구를 하지 사령관과 아놀드 군정 장관에게 소개해주었다. 12월 1일, 서울 운동장에서 임시정부 봉영회奉迎會가 성대히 열려 수많은 시민의 뜨거운 환영을 받았다. 이날 이승만과 김구는 호형호제呼兄呼弟하는 친밀함을 마음껏 과시했다. 이튿날에는 임정 제2진 22명이 귀국했다. 이로써 3일 오전 경교장에서 귀국 후 처음으로 역사적인 국무회의가 열렸다. 이승만도 구미위원장주미대사 자격으로 참석했다. 국무회의는 속히 미 군정으로부터 정부 자격 승인을 받아야 한다는 것으로 모아졌다. 이튿날 김구 일행은 군정청으로 하지 장군을 방문했다.

하지의 대답은 'No'였다. 국제적인 승인 없이

합법적 정부로 인정할 수 없으며 군정 포고 1호에 있는 바, 조선인들의 독립적 자치기구는 일체 인정하지 않는다는 명령을 지켜야 한다고 고자세를 취하였다. 임정으로써도 어쩔 수가 없었다. 하지만 한민당은 원래부터 임정봉대臨政奉戴를 주장해 왔기 때문에 임정은 한민당의 손을 들어줄 것으로 믿었다. 그러나 임정의 태도는 그게 아니었다. 우익 편인데도 한민당이나 독촉에 거리를 두고 공산당과 인민당, 중도인 국민당을 가까이했다. 더구나 뜻밖에도 김규식과 김원봉 등 임정 좌파는 통일 전선이 결렬된 책임은 공산당을 거부한 이승만에게 있다. 중경 임정이 입국하기도 전에 독촉중협을 결성한 것은 대중 조직의 우위를 점하려고 벌인 정치 술수라고 비난하고 나섰다. 돈암장으로 이승만을 찾아온 송진우는 그 기사를 보고 어이없는 표정을 지었다.

"물에 빠진 사람 건져내주었더니 내 보따리 내놔라 하는 식입니다. 아무래도 우리는 임정을 짝사랑한 것 같습니다. 실망입니다."

송진우의 탄식에 이승만은 쓴웃음을 지으며 차를

마셨다.

"고하께서 순진했다고 봐야지요. 임정이 뭡니까? 오합지졸부터 내로라하는 정객들에 이르기까지 온갖 종류의 사람들이 모였다 흩어졌다 하던 곳입니다. 온갖 종류라는 것은 민족주의자, 민주주의자, 사회주의자, 공산주의자, 무정부주의자에 중도주의자에 이르기까지 다 모여서 서로 잘났다고 싸움질하던 곳이라는 겁니다. 내가 임시 대통령 할 때도 그랬지만 온갖 정파를 다 받아들이고 합작하여 임시정부를 끌고 가야 했습니다. '좌우합작 민족통합'이란 말 자체는 임정이 쓰던 구호지요."

"해방되어 들어와 보니 그 구호가 제철을 맞았더라, 그 말인가요? 좌우합작은 임정이다. 임정 밑으로 다 헤쳐모여라, 그거라고 보아야겠군요?"

"들어오자마자 김규식이 날 비난하고 한민당이나 독촉 등 민족진영에 거리를 두는 것은 바로 임정이 유일한 해외 망명 정부라는 법통을 내세워 자기들이 좌우 중도 세력들을 아우르고 합작을 통하여 정국의 주도권을 잡겠다는 밑 계산이 있는 것으로 보아야 합니다.”

“임정은 자체 내에 ‘특별정치 위원회’라는 것을 만들어 그동안 독촉이 추진해온 국내의 모든 정치세력을 하나로 통합하는 작업을 서두르고 있지 않습니까?”

“안 그래도 그 때문에 골치요. 밥상 차려놓으니 나그네가 차지하고 독식獨食한다더니, 그 바람에 우리 독촉 조직이 허물어지고 있지 않소?”

“박사님과 김구 선생은 호형호제하는 사이 아닙니까? 아우라면서 그럴 수 있나요?”

“그 양반도 아래에서 하는 일이라 막지 못하고 있을 게요. 김규식이나 좌파들은 우리 독촉이나 한민당 같은 민족진영을 제치고 인공하고 합작하기 위해 물밑작업이 한창일 겝니다. 하지는 좌우합작 과도정부를 만들어야 한다 하고 있으니 공산당은 자기들만이 끌어들일 수 있다고 생각하겠지요.”

“그럼 우린 손 놓고 바라만 보고 있어야 할까요?”

“일단은 숨 고르기나 하고 기다려봅시다. 정치는 생물生物 아니오? 항상 살아서 움직이는 거니 언제 어떤 변수가 있고 어떻게 변화될지 누구도 모릅니다.

기다리면 찬스가 올 겁니다."

　이승만의 말대로 정치는 생물과 같아서 살아움직이고 있었다. 임정의 독촉 밀어내기가 다시 독촉 끌어안기로 극적인 반전을 가져오는 데는 채 한 달도 걸리지 않았다. 이른바 12월 26일. '모스크바 삼상회의三相會議'에서 한국의 신탁통치 문제가 제기되는 사건이 발생했던 것이다.

4. 신생 한국의 운명, 신탁통치

종전 후 한반도 문제를 더는 미루어서 안 되겠다고
느낀 미, 소, 영 등 3국은 모스크바에서 미국의 번즈J.
F. Byrnes 국무장관, 소련의 몰로토프V. Molotov 외상,
영국의 베빈E. Bevin 외상이 만나 미, 소, 영 3국
외상 회의를 개최하고 한국의 신탁통치 문제를 논의
제시했다. 내용을 요약하면 아래와 같았다.

첫째, 조선의 독립을 위해 조선의 민주적 임시정부를

수립한다.

둘째. 조선의 임시정부 구성을 위해 미소공동위원회를 설치한다.

셋째, 미, 소, 영, 중 4국이 참여하는 신탁통치는 향후 최하 5년이며 연장될 수도 있다.

이것이 협의 내용이었다. 이 소식이 미국의 A.P 통신에 의해 전해지자 국내는 발칵 뒤집혔다. 모스크바 삼상회의가 있기 전인 10월 20일 미 국무성 극동 담당 빈센트의 "미국은 한국의 신탁통치를 원하고 있다"라는 발설이 모스크바 삼상회의의 예고편이었던 것이다. 이승만은 그동안 신변 때문에 칩거하며 정양하고 있었다. 그러나 가만히 있을 수가 없었다. 그는 즉각 긴급 독촉중앙회의를 소집하고 대국민 성명서를 내도록 했다.

경악을 금치 못할 일입니다. 이 제안이 미국의 대對 조선 정책에 있어 한 가지 중대한 과오가 될 것이리라는 것을 지적해두고자 합니다. 이 신탁통치 문제는 미

국무성 극동 사무국장 빈센트가 누차 공식 전언하여 이런 결과가 오리라 예상하고 그에 맞설 만한 여러 방책을 마련해 놓았습니다. 모든 동포는 5개년 단축 시기라는 감언에 견유見誘치 말고 일시에 일어나서 예정한 대로 우리의 전 국민의 결심을 표명할 때라고 믿습니다.

모스크바 삼상회의가 신탁통치안을 내놓자 국내의 모든 정당, 사회단체 등은 벌집을 건드린 듯 일제히 분노하며 반대했다. 민족적 자존심과 조속한 독립 실현에 대한 열망을 가지고 있던 남한 지역 우익 정치세력들을 비롯한 모든 정파의 신탁통치 반대는 격렬하게 일어났다. 심지어 나중 찬탁贊託으로 돌아선 공산당까지도 "우리 민족의 치욕이다. 조선인은 자치 능력이 없으므로 훈정訓正 기간이 필요하다 등의 민족 분열과 대외 의존의 옳지 못한 책동을 분쇄하고 우리는 강력한 민족 통일 전선 결성을 즉시 실현하지 않으면 안 된다"는 성명을 내며 전의를 다질 정도였다.

이처럼 남한 내에서는 강대국 신민통치라는 것이

일제의 식민통치와 같다는 의식이 생겨나자 민족적 분노가 전국적으로 폭발했으며 이 같은 민족적 분노와 저항은 독립을 요구하는 대중 투쟁으로 발전했다. 대중 투쟁을 선도할 수 있었던 세력 가운데는 이승만의 독촉중앙협과 한민당이 있었지만, 김구의 임정 측이 대중에 다가가는 명분에 앞서 있었다. 임정에서는 경교장에서 긴급 국무회의를 열고 주요 정당, 사회단체, 언론, 종교계 대표들을 초청하여 비상회의를 개최하고 '신탁통치 반대 국민 총동원 위원회'를 설치하고 임정은 '새로운 독립운동'을 펼쳐나가야 한다며 다음 사항을 결의했다.

첫째, 연합국은 임시정부를 정식 승인해달라. 둘째, 신탁통치 절대 반대. 셋째, 전국 군정청 총사직 및 일체 정당 즉시 해체를 요구한다 등이었다.

마침내 12월 29일, 30일과 31일 사흘간 신탁 반대 총동원 위원회가 개최한 반탁 궐기대회에 수만 명의 인파가 모인 가운데 서울운동장에서 열렸다. 이 궐기대회에서 김구는 개회사에서 대한민국 임시정부를 우리의 정부로 세계에 선포함과 동시

세계 각국은 우리 정부를 승인해야 마땅하다고 거듭 선포했다. 이어서 임정 내무부장 신익희申翼熙는 현재 전국의 군정청 소속 직원들은 총파업에 들어가야 하며, 전국 경찰 조직은 임정 소속으로 임정 지휘를 받게 된다는 포고문도 발표했다. 신탁 반대 국민 궐기대회는 성공이었지만 임정은 두 가지 점에서 분란의 씨앗을 남겼다. 총동원 위원회 결의 중 각 정당 단체는 해산해야 한다는 조항에 공산당이나 인민당이 항의하고 나선 것이다.

조직도 없이 껍데기만 있는 임정이 어찌 감히 해체하라 마라 할 수 있는가. 헤쳐모이면 임정이 흡수 통합하겠다는 저의 아닌가. 둘째로 임정의 각국 승인 요청 문제와 신익희의 군정으로부터의 경찰권 이양 요구 등이 미군의 비위를 거스르게 하여 문제가 발생했던 것이다. 3일간의 궐기대회가 끝나고 다음 날은 1946년 새해 1월 1일이 되었다. 하지 사령관은 김구를 군정청으로 불러들였다. 불렀다기보다는 소환이었다. 하지는 귀국 당일 김구 주석이 임정을 대표해서 서명, 날인한 한 장의 서류를 내밀었다.

"38선 이남의 유일한 합법정부통치기구는 미 군정청뿐이다. 중경 임시정부, 조선인민공화국, 한민당, 인민당, 국민당, 공산당 등 기타 정치단체를 인정하지 않는다. 그건 우리 미 군정청의 군정 포고 1호입니다. 당신들이 개인 자격으로 귀국한 것도 그래서입니다. 당신은 임정을 대신해서 그 규정을 지키겠으며 위반할 때는 어떤 벌이라도 감수하겠다며 서명 약속했습니다. 당신은 두 가지, 결정적 실수를 했습니다. 임정 승인을 공개적으로 요구하고 선포했으며 또한 군정에 참여한 직원들에게 파업을 선동하고 전국의 경찰권을 인수하겠다고 했습니다. 이는 군정에 대한 쿠데타 선언입니다. 당신들을 모조리 장기수로 투옥할 수도 있고 아니면 모조리 중국이나 시베리아로 추방해버릴 수도 있습니다. 투옥과 추방 둘 중 선택하시오."

"오해입니다. 우리 임시정부는 지난 35년간 독립국 조선의 명맥을 보전하기 위해 수많은 애국지사의 피와 땀을 흘렸습니다. 그런데 해방이 되었는데도 인정을 받지 못하고 있다는 데 대하여 국민의 불만이

큽니다. 거기에 대한 답을 하려다 보니 앞서 나가고 과장한 듯합니다. 앞으로는 절대 포고령 위반 같은 건 없을 것입니다. 선처해주십시오."

"좀 더 솔직히 얘기하자면 김구 선생이 귀국할 때 나는 기대가 컸습니다. 지도자들이 모두 자기들이 잘났다고 키 재기를 하는데 이승만 박사가 귀국했습니다. 이 박사야말로 국제적으로 알려진 한국을 대표할 만한 지도자이며 모든 국민들이 존경하는 애국자입니다. 단연 그분이야말로 장차 한국을 이끌어나가야 할 유일한 지도자입니다. 하지만 우리에겐 껄끄러운 인물이었습니다. 미국의 입장 따위 우습게 알고 오만하게 군림하는, 타협을 모르는 국수적國粹的 민족주의자이기 때문이었습니다. 그래서 이 박사 카드를 버리게 되었고 새로운 인물을 찾은 겁니다. 그러던 중 마침 국민적 지도자로서의 지명도知名度가 이 박사 못지않은 김구 씨가 귀국한다 해서 우리는 김구 씨를 앞으로의 파트너가 될 수 있는 분으로 생각했는데 이렇게 이 박사보다 더 완고하다니 실망입니다. 당장 약속을 지켜주시오."

하지의 불쾌해하는 언사를 듣고 난 김구는 공보 담당 엄항섭嚴恒變에게 지시하여 임정의 신탁 반대 총동원 위원회 이름으로 미 군정청에서 일하는 한국 직원들은 총파업하란 지시를 내렸던 바 파업 중지를 요청하니 따라주기 바란다고 방송했다. 기세를 올리던 임정의 정국 주도는 3일 만에 간에 절인 배추처럼 세가 약화하고 말았다.

이보다 이틀 전인 12월 30일에는 민족 지도자 송진우宋鎭禹가 암살되는 비극이 발생하여 국민을 슬픔에 잠기게 했다. 김구의 좌우통합 합작에 모든 정당 단체가 호응하였는데 우파인 한민당이 참여를 보류했다. 한민당을 끌어들이지 못하면 국민적 총의라는 말이 무색해진다고 생각해 설득을 계속했으나 송진우는 여전히 태도를 유보하고 자택으로 돌아갔다.

신탁통치 반대를 놓고 모두 궐기하고 나서는데, 한민당만 찬탁贊託으로 돌아서서 민족을 배신했고 그 원흉은 수석총무 송진우였다고 멋대로 추단하여 극열청년極烈靑年 한현우韓賢宇가 당사로 출근하려던 송진우를 원서동 집 앞에서 저격하여 살해했던 것이다.

송진우의 죽음은 혼란스러운 해방 정국에 커다란 손실을 가져왔다. 일제 강점기, 국내에 남아서 반일 운동을 하던 애국 인사들 역시 해외에서 풍찬노숙風餐露宿하며 투쟁하던 항일 인사들 못지않은 형극의 길을 걸어왔고 때로는 복역하며 저항했다. 그런데도 임정파나 해외파들은 국내파들을 친일파인 것처럼 무시하는 게 보통이었다.

총독부가 일본 패망을 알고 치안권을 주겠다고 맨 먼저 만나 교섭한 사람이 송진우였는데 임정만이 할 수 있다며 거부하여 여운형에게 권한이 넘어가기도 했었다. 민족 정당인 '한국민주당'을 창당하게 된 계기도 '대한민국임시정부 환국 환영회'를 조직하고 그 국민대회를 치르고 나서였다.

'임정봉대론臨政奉戴論'을 주장했던 송진우가 임정에 실망한 것은 그들이 귀국한 뒤 신탁통치 문제에 이르기까지 보여준 여러 정치 행태와 주장이었다. 너무 앞서 나간다는 생각이었던 것이다. 일정이 대한민국을 대표하는 임시정부이니 국제적인 승인과 미군정의 인정을 받아내야 한다는 주장을 앞세우고 밀어붙이는 건 좋지만, 군정을 부인하며 반미反美로 대립하는 건 장차 좋을 게 하나도 없다는 생각이었다. 그렇다고 찬탁이 아니라 송진우와 한민당은 당연히 반탁이었다.

그런 것 때문에 유보했다가 저격을 당하여 졸지에 죽음을 맞이한 것이다. 애초 그가 정당 참여나 창당을 서두르지 않았던 이유는 평생지기知己였던 김성수金性洙의 태도 때문이었다. 일제하에서 민족지인 〈동아일보〉를 창간하고 보성 전문을 설립했던 그는 전쟁 말기에 이르러서는 신문도 폐간당하고 학교 운영도 어려워졌었다. 해방되자 신문과 학교를 정상으로 정돈하고 키워야 할 필요가 있었다.

이에 김성수는 송진우에게 동아일보를 맡기고, 자기는 보성전문을 맡아 심혈을 기울이자고 약속하고 있어 정치 쪽으로는 관심을 두지 않으려 했다. 김성수의 고향은 전북 고창이었고, 송진우의 고향은 전남 담양이었다. 두 사람은 어려서 신학문을 가르

치던 창평의 '영학숙英學塾'이란 학교에서 만나 평생 지기가 되었다.

부안 내소사 청련암에서 젊어 호연지기를 키우던 두 사람은 부모도 모르게 일본으로 건너가 중학교를 나오고 와세다 대학에 들어갔다. 그러나 을사늑약 체결로 나라가 망하자 급히 귀국했다. 송진우는 그 후 다시 도일하여 메이지 대학을 졸업하고 많은 애국지사와도 교류했다. 이승만을 만난 것은 그가 미국에서 학업을 마치고 서울 YMCA 학감으로 귀국했다가 쫓기듯 다시 미국으로 가던 중 동경에 들렀을 때였다.

3·1운동 때는 1년 6개월의 옥고를 치렀고 김성수가 중앙학교를 인수하자 교장으로 취임하여 민족교육을 시행했다. 그런 다음 그는 30여 년 동안 동아일보 사장으로 민족 언론을 높이고 지켜왔다. 한민당이 창당되고 그가 참여하게 된 것은 당시의 정치 사정으로 보아 당연한 순서였는지도 모른다.

군정은 모든 정당, 사회단체의 존재 자체를 부정했지만, 독립정부를 찾아야 한다는 국민적 열망 때문에 정치세력들은 크게 5갈래로 모였다. 첫 번째 집단이 공산당이었다. 당시의 공산당은 가장 탄탄한 조직력을 가지고 있었다. 그 때문에 건준을 무력화시키고 지방조직을 자기 조직으로 흡수했던 것이다.

두 번째 집단이 이승만을 지지하는 '독촉' 세력이었다. 이승만 지지 주 세력은 미주에 있고 국내에는 기독교계와 흥업구락부 등 다양한 출신들이 있었지만 역시 귀국 후 만든 단체들이라 기초가 부실했다. 공산당이 나가는 바람에 독촉은 반공反共의 민족 우익 세력이 되었다.

세 번째 집단은 '임정'이었다. 망명정부라는 정통성 때문에 받들어줄 뿐 국내에는 기본 조직이 전혀 없어, 머리만 있고 국민 선거 등을 거치지 않고 탄생한 정부라 명분이 약했다. 더욱이 그 세력 속에는 좌우 중도가 혼재하여 좌우합작 명분은 있었으나 실체가 없었다.

네 번째 집단은 한민당이었다. 늦게 창당했지만, 국내의 유력 인사들이 참여한 명실상부 민족 민주

우익 정당이라 규모가 컸다. 이승만의 독촉과 같은 색을 가지고 있었다.

다섯 번째 집단이 이른바 안재홍의 '중도파'였다. 여운형 역시 중도라 자처했으나 그의 전력 등을 고려한다면 좌파였다.

이들 정파의 주도권 싸움은 모스크바 삼상회의의 신탁통치 문제가 발등의 불로 떨어지면서 좌우 양 세력으로 정리되어 분명하게 나누어졌다. 이승만의 독촉과 임정이 신탁통치 반대편에 서면서 두 세력은 하나로 통합이 되었고 공산당은 뒤늦게 신탁통치 찬성으로 돌아서면서 3개의 좌파가 하나로 뭉쳤다. 그 때문에 서울 거리는 우익을 따르는 반탁 시위대와 좌익을 따르는 찬탁 시위대가 충돌하여 부상자가 속출하는 혼란의 도가니가 되었다. 이른바 모스크바 협정이 보도된 후 남한 내의 모든 정치세력들이 반대하고 나섰을 때 좌익 쪽에서는 일부만 반대 성명을 냈을 뿐 조선공산당의 공식 성명은 나오지 않았었다. 그건 소련 쪽의 진의가 뭔지 알 수 없었기 때문이었다. 박헌영은 주 서울 소련영사관에 가서 샤브신을 만나 진의를 물었다. 샤브신도 잘 모르겠으니 평양에 가서 소련군 사령부에 문의해보라 했다. 이에 박헌영은 4명의 수행원을 데리고 밤을 도와 38선을 넘어 평양으로 들어갔다. 그는 마침 모스크바에서 돌아온 북한 주둔 소련군 민정 사령관 로마넨코로부터 신탁통치에 대한 공산당이 취해야 할 입장을 북조선 공산당 분국의 김일성 위원장과 함께 지침을 전달받았다.

"미국이 신탁통치를 주장해 하는 수 없이 절충안으로 5년간 후견제後見制를 실시하기로 했다. 후견제는 신탁통치와는 근본적으로 다르다."

그것이 지침 내용이었다. 조선공산당은 성명을 발표하고 반탁의 입장에서 찬탁으로 돌아섰다. 대중들이 어리둥절해하자 공산당 선전부에서는 신탁통치 긍정 평가라는 담화문을 발표하여 적극 홍보를 하고 대중 선동에 나섰다.

"4대 강국이 후견으로 통치를 하기 때문에 다시는 어느 일국의 식민지가 되지 않고 5년 이내에 독립을 보장한다 하니 훈련 기간으로 삼으면 된다.

신탁통치를 받으면 일제 잔존 세력 청소와 파쇼 세력 대두가 방지되며, 민주주의 발전에 따르는 강대국의 원조를 얻어 경제 부흥도 이룰 수 있기 때문에 찬성해야 하는 것이다."

마침내 이승만과 김구는 '독촉중앙협'과 '반탁 국민 총동원 위원회'를 통합하고 정식으로 국민 선거가 실시되어 의회가 구성되고 과도정부가 수립될 때까지 임시로 의회 역할을 할 기구의 필요성을 느끼고 '비상 국민회의'를 만들었다. 167명의 각계 지도자를 회원으로 하여 2월 1일 이틀간 회의를 진행했다. 조선공산당도 초청되었으나 찬탁으로 돌아서는 바람에 거부하여 우익 민족진영만이 모이게 되었다.

하지 사령관은 처음으로 국민회의를 수용하고 미 군정 최고 자문 기관으로 '남조선 대한민국 대표 민주의원'이란 기구를 설치하고 국민회의가 선정한 28명 대의원을 그대로 '민주의원'에 임명했다. 그리고 민주의원은 이승만을 의장에, 김구와 김규식을 부의장에 선출하였다. "사리사욕을 위해 민족의 장래를 그르치는 자들"이라고 이승만과 김구를 비난해 오던 하지가 두 사람이 만든 기구를 전격 수용한 것은 본국에 대한 미 군정의 업적이 없었기 때문이기도 했다.

이에 맞서 공산당은 인민공화국이 군정의 강요로 국國 자를 떼이고 중요 서류까지 압수당하여 존립이 유명무실해지자 다시 모여서 '민주주의 민족전선'으로 통일 전선을 만들었다. 약칭 '민전'은 나중 북한에서 '북조선 로동당'을 먼저 만들고 남에서도 결성하란 독촉을 받아 박헌영에 의해 '남조선 로동당'으로 재편될 때까지 민전으로 활동했다.

5. 남북분단의 책임은
어디에 있는가

모스크바 협정에 따른 제1차 미·소 공동 위원회 회의는 3월 20일, 서울 덕수궁 석조전에서 소련 대표 T. 스티코프Shtikov와 미국 대표 하지가 마주 앉아 열게 되었다. 회담이 성공하면 양국 군이 분할한 38선을 철폐하고 남북한의 통일 임시정부를 수립하여 독립을 앞당길 수 있을지도 모른다고 모든 국민은 숨죽이며 지켜보았다.

하지만 결론이 뻔히 보이는, 결코 만날 수 없는

평행선 회담이었다. 소련 측과 미국 측의 기본 입장에서부터 서로 확연하게 달랐던 것이다. 개막 연설에서 소련 측 스티코프는 3가지 중요한 주장을 내놓았다. 첫째, 미·소 공동위에서 수립할 임시정부의 구성에는 모스크바 협정을 지지하는 정당과 사회단체들만 참여할 수 있다. 둘째, 통일된 한반도에 반소적인 정부가 수립되는 것은 용납할 수 없다. 셋째, 후견제신탁통치는 한국민에게 꼭 필요하다.

그에 반하여 미국 측 입장은 반대였다. 첫째, 임시정부 수립에 참여할 정치세력에는 어떠한 자격 제한도 두어서는 안 된다. 둘째, 한반도에 수립될 정부는 진정한 대의 민주 정부여야 한다. 셋째, 38선은 철폐되어야 한다. 넷째, 신탁통치 시행은 나중 한국인의 의사에 따르겠다.

양국의 의견이 첨예하게 맞서자 소련 측 스티코프는 수정안을 제시했다. 기존의 반소, 반탁 정치 세력들이라도 모스크바 협정을 지지한다는 선언서에 서명하면 동참시키겠다는 것이었다. 남한 내의 좌익 공산당은 일제히 찬성을 표했으나 반탁 민족진영은 반대했다. 북쪽에는 반탁 세력이 없고 친소, 찬탁 세력만 있지 않은가. 친소, 찬탁 단체만 서명 등록하면 차후 수립되는 통일정부는 공산정권이 될 것이다. 그게 반대 이유였다.

당황한 하지는 일단 모스크바 협정을 지지한다는 선언서에 모두 다 서명하고 임시정부 수립 준비회의에 참여하라, 본회의에 들어가서 반탁운동을 하면 될 게 아닌가. 그런 식으로 스티코프 수정안을 유권해석 했다. 그렇다면 서명하겠다며 25개 반탁 단체가 일제히 서명했다. 그걸 들은 스티코프는 하지의 아전인수식 유권해석을 거칠게 비난하며 서명한 반탁 진영을 기만적欺瞞的 반동분자들이라고 맹공을 퍼붓고 미·소 공동회를 보이콧해버렸다. 5월 6일. 이로써 회의는 결렬되어 무기 휴회에 들어가게 되었다.

이승만은 거의 한 달 동안 거동도 못 할 정도로 건강을 잃고 앓아누웠었다. 미국에 있던 비서 임영신任永信이 부인 프란체스카를 모시고 서울에 왔다. 부인이 온 뒤 이승만은 몸을 추스르고 병상을 털고 일어났다. 모처럼 주일을 맞아 부인과 함께 정동 교회를 찾아 예배에 참석했다.

예배를 마치고 밖으로 나와 너른 예배당 앞마당에 선 이승만은 감개무량한지 눈을 가늘게 뜨고 주변을 둘러보고 있었다.

"무슨 생각을 그렇게 골똘히 하세요?"

부인이 물었다.

"옛 생각을 하고 있었소. 스물두 살 때였지 아마? 이 너른 마당에서 배재학당 초회 졸업식이 열렸고 그때 난 졸업생 대표로 영어 연설을 했지. 겨우 2년 동안 배운 영어 실력으로 연설을 했는데 연설문 준비하느라 이틀 밤을 꼬박 새웠지. 망신당할까 봐 겁도 났었지."

"실수 같은 건 없었어요?"

"다행히 없었다오. 졸업식장엔 정말 쟁쟁한 사람들만 와 있었어. 고종황제만 빼고 조정의 내각이 모두 옮겨 온 듯이 각부 대신들이 다 참석했고 주한 외교 사절도 다 왔고, 20여 명의 선교사들까지……. 단위에 올라설 때까지 긴장했는데 올라가니까 오히려 힘이 나는 거야. 난 잘할 수 있다. 그런 마음이 드는 거야. 박수 소리에 파묻혔어요. 유창하고 세련된 연설이라는 거야."

"그 연설 하나로 박사님은 장래 가장 촉망받을 한국의 젊은이로 성과를 얻었죠?"

임영신의 말에 이승만은 빙그레 웃었다.

"으음, 그게 인연이 되어 독립협회, 만민공동회에서 최고의 젊은 연설가로 연단에 서게 되었고 인기를 얻게 되었지."

그때 역시 비서 일을 보고 있던 윤치영이 다가왔다.

"박사님, 예배 끝나셨나요?"

"조금 전에 마쳤네."

"종친이신 이병주 씨와 이덕제 씨가 배재학당 정문 앞에서 기다리고 계십니다."

"그래? 화니! 함께 가봅시다. 오늘은 어머님 생신이오. 그래서 묘소에 가자고 온 모양이야."

환국한 뒤 부모님 성묘를 해야 한다고 생각은 하면서도 바쁜 일정과 안 좋은 건강 때문에 미루고 있었는데 종친들이 알고 찾아와 기다리고 있다는 것이었다. 언덕길을 조금 올라가면 배재 정문이 있었다. 기다리고 있다던 종친 두 사람은 이미 교회 쪽으로 내려오고 있었다.

"우남! 오랜만일세."

"오, 덕제 이 사람! 안 죽고 살아 있었구먼, 응?"

백발이 성성한 이덕제를 끌어안으며 얼굴을 비볐다.

"죽으면 자네 못 볼까 봐 살아 있었네. 허허. 병주도 함께 왔네."

"그러게 말이야. 병주는 하나도 안 늙었네? 야, 우리 몇 년 만이지?"

"34년 만인가? 강산이 세 번 반을 변하고도 남을 세월이네. 정말 반가워!"

두 친구는 눈시울을 붉혔다.

"여보게들, 프란체스카 도너 리 여사를 소개하지. 오지리奧地利댁일세."

부인이 반갑게 인사했다.

"두 분 말씀 많이 들었습니다. 미국에서 외롭고 힘들 때면 어머님 생각에 고향 친구가 보고 싶다고 말씀하곤 했어요.”

“아아 그래요? 뒤늦게 결혼 축하합니다.”

“화니! 이 두 친구는 어려서부터 함께 자란 꾀복쟁이 친구들이라오. 남산이 우리 놀이터였어. 자치기, 연날리기 그뿐인가? 시누대 꺾어서 낚싯대 만들어 가지고 한강에 나가 낚시질하며 해 떨어지는 줄 모르고 놀곤 했었지. 죽어가는 나무나 화초도 나한테 오면 산다며 하와이에선 날나무 박사라 불렀어. 전문가 수준은 된다고 말이야. 어려서 남산에 살아서 그런 거야.”

그러자 임영신이 슬쩍 끼어들었다.

“저기 아가씨 한 분이 계신데요.”

“아가씨?”

“평산 누님 손녀딸이라네. 을생乙生이라구 말이야.”

이덕제가 알려주었다.

“뭐야? 우리 누님 손녀딸? 이리 와봐라. 얼굴 좀 보자.”

승만은 깜짝 놀라며 반가워했다. 6대 독자였던 이승만에게는 누님 하나가 유일한 형제였다. 그

누님의 손녀딸이라 하지 않는가. 승만은 을생이를 포옹했다.

"우리 누님, 네 할머니는 지금 살아 계시냐? 그리고 넌 몇 살이야?"

"아직 평산에 살고 계시고요, 전 열아홉 살이고요, 우리 가족은 답십리에 살고 있어요."

"아버지는 뭐 하고?"

"목수예요."

"이렇게 예쁘게 커줘서 고맙구나. 자아, 성묘를 가자."

어머니 묘소는 해방촌 쪽 작은 공동묘지에 있었다. 어머니는 한성감옥에 있을 때 돌아가셔서 임종도 하지 못했다. 그 당시 아버지는 임시로 공동묘지에 가매장하고 나중 자기가 죽으면 종중묘지宗中墓地에 합장되기를 원했었지만, 아버지가 타계할 때도 이승만은 미국에 망명 중이어서 임종을 못했다. 어머니 묘소도 알지 못해 친구 이덕제가 찾아주었다.

이승만은 꿇어 엎드린 채 기도를 드렸다. 어머니를 그리워하고 은혜를 갚지 못한 죄스러움의 기도 소리는 통곡 소리를 감추고 있었다. 간단한 예배 의식을 끝내자 교회를 다니지 않는 두 친구는 준비해온 북어 한 마리와 청주 병을 꺼내놓고 절을 하며 성묘를 끝냈다.

"아니 그건 뭔데 그렇게 어루만지고 있나?"

잔디밭에 앉아서 낡은 참빗을 안주머니에서 꺼내어 들여다보고 있는 이승만에게 덕제가 물었다.

"으음, 이거 어머니 유품일세. 어렸을 때부터 아침에 서당에 가려면 어머니가 당신의 무릎 위에 날 앉히시고 댕기 머리를 빗겨주시곤 했지. 어떤 땐 뜯겨서 아프기도 했지만 그래도 빗질해주면 바로 내 귓가에 어머니 숨소리가 전해져 오곤 했고, 어머니의 체온과 상큼하고 비릿한 어머니 냄새가 전해지곤 했지. 장가들던 날 어머니가 선물로 주신 거야. 난 평생 지니고 다니며 어머니가 그리울 때면 꺼내어 들여다보며 어머니 냄새와 체온을 받곤 했네. 이 빗으로 하와이 학교에 있을 때는 가난하던 우리 학생 아이들 머리를 일일이 빗겨주곤 했지. 머릿니하고 서캐가 너무 많았기든."

"못 버리시는 건 그 참빗뿐 아니고 색이 바래고

낡아서 해진 양복 한 벌도 못 버리시고 소중하게 간직하고 계시답니다.”

비서 임영신의 말에 친구들은 무슨 양복인데 그러느냐고 물었다.

“검은색 양복일세. 좀 비싼 양복이나 한 벌 장만할걸 하고 가끔 후회했지만 그 정도도 나에겐 분에 넘친다고 생각했어. 독립운동하다 보면 백인들이 주최하는 파티에도 가야 하는데 초라한 차림으로 갈 수는 없지 않은가. 그래서 한 벌 어렵게 장만한 건데 내가 하와이에 들어가서 교회 일과 학교 교장 일을 맡다 보니 제자도 많았고 또 결혼하는 일이 많이 생겨났네. 제자들이 결혼하게 되면 입어야 할 양복이 없잖나? 그럼 내 양복을 대신 빌려 입고 예식을 하곤 했지. 수십 쌍이 했네. 그뿐이 아니지. 부모 환갑이네, 진갑이네 잔치한다고 양복을 빌려 가네 그려. 단벌 신사인 내 양복은 그래서 내가 입기도 힘들었어. 하하하. 그렇게 되다 보니 낡아빠지게 되었는데, 그렇다고 어떻게 버리나? 가난한 사탕수수 농장의 노동자였던 우리 동포들의 때가 켜켜이 묻어 있는 양복인데."

"정말 징글징글하게 가난뱅이만 사는 곳이 하와이인 줄 몰랐구먼."

"그래도 임시정부 독립자금 걷어낸 사람들은 바로 그 가난뱅이들이었어. 자랑스러운 가난뱅이들이지."

그날 저녁에는 모처럼 30여 년 만에 어렸을 적 친구들과 배재학당 친구들이 모여 저녁을 먹고 밤늦게까지 훈훈한 우정을 나누었다. 이윽고 이승만이 이덕제에게 물었다.

"내가 부탁한 거 알아는 보았나?"

"물론일세. 해주까지 다녀왔으니까. 시부모 타계하고 혼자 된 자네 부인은 3년쯤 혼자 살다가 자네 누님이 불러서 1년쯤 해주 집에서 함께 살았다더구먼. 그러다 만주로 이민 간 친정집에 다녀온다고 간 뒤에 지금껏 소식이 끊겼다는 안타까운 소식이야."

그 말을 들은 이승만의 눈가에는 눈물이 맺혔다. 만감이 서린 눈물이었다.

돈암장에서는 매일 이른 아침에 측근 참모 회의가 열리곤 했다.

측근이라면 비서인 장기영, 임영신, 윤치영 등이었다.

"장 청장張廳長이 들어오셨습니다."

수도 경찰청장首都 警察廳長 장택상張澤相이었다.

"어서 오게. 얼마나 바쁘신가?"

"박사님이 말씀하셨던 성시백이란 인물에 대해서 알아봤습니다."

"믿을 만한 인물이야? 상해에서 만난 적도 있는데?"

"그 사람을 기용하시려고 생각하셨다면 고려하심이 좋을 듯합니다. 중도파에 있기는 한데 알고 보니 그는 공산당 당원이었습니다. 그리고 요즘에는 경교장 쪽에 들락거리며 백범 선생과 밀착해 있습니다."

"백범白帆하고? 왜지?"

"공산당 쪽하고 모종의 교섭이 있는 걸로 보입니다만. 백범 쪽에 필요로 하는 것은 공산당의 협력 아닙니까?"

"고맙네, 알려줘서. 최근 이북以北 사정은 알아보았나?"

"군정청 정보국 친구한테 알아보았습니다만 심각합니다."

"뭐가?"

"박사님께서 일찍이 예상하신 대로 소련 측이 미·소 공동회를 질질 끈 이유는 북한에 친소 정부를 세울 수 있는 시간을 벌기 위해서였습니다. 모스크바 삼상 회의 신탁안이 발표될 때 2월 8일, 북한에선 정부 수립을 위한 입법 행정권을 갖는 임시정부를 조직 했습니다. 공산당에선 '북조선 각도군 인민대표와 반일 민주정당 및 사회단체 회의'를 소집하고 '북조선 임시 인민위원회'를 조직하고 김일성을 위원장首相에 앉혔습니다.

그런 다음 조만식 선생 같은 반탁 민족진영의 인사들은 가택연금 하거나 중국으로 추방하여 반탁 세력을 청소하고 3월 5일, '토지개혁 법령'을 발표해 지주들이 가진 토지는 자경自耕해서 먹고살 만한 최소의 농토만 남겨주고 모두 몰수하여 빈농에게 무상으로 나누어주었습니다. 눈 빤히 뜨고 재산을 빼앗겼으니 당장 지주들이 들고일어나 아우성을 칠 만도 한데,

인민위원회는 무슨 방법을 썼는지 단 20일 만에 토지개혁 작업을 완전히, 조용하게 끝냈습니다."

"그러기 위해 소련군은 처음부터 38선을 막아놓은 거 아닌가?"

"그렇습니다. 게다가 북의 임시정부인 인민위원회는 발 빠르게 토지개혁에 맞춰 '민족간부양성' 사업을 시작한다고 발표했답니다. 교육시설을 시급히 만들고 기존의 지식인들을 공산주의자로 세뇌하고 수만 명의 젊은 공산주의자들을 새로 배출해내자는 거지요. 그래서 '당 중앙학교', '고급간부 지도학교', '공산주의 강습소', '종합대학' 등등을 설립한다는 계획을 세웠다 합니다."

"소련 혁명의 단계를 그대로 답습踏襲하고 있군? 북한을 소비에트화하기 위한 절차일세. 그 막대한 사업에 필요한 자금은 어디서 나지?"

"산업 국유화령産業 國有化令을 발동하여 국유재산화하고 친일파 재산까지 몰수했으니 그런 게 자금이 될 것이고 소련이 지원하지 않을까요?"

"그래서 모든 국민은 미 군정청을 원망하고 하지의

무능함을 탓하고 있는 것일세. 남한의 무질서와 혼란의 책임은 하지에게 있어. 애초부터 하지는 소련의 양보를 얻어내어 그들이 단절시킨 남북 교류, 교통을 회복하고 남북에 통일된 행정 정권을 행사할 수 있는 좌우합작 정부를 수립하겠다는 것이 초지일관한 주장이었지."

"그건 미 국무성 내의 친소파 관리들의 지시 아니었습니까? 하지는 그 지시를 그대로 따르고 있는 거지요."

"그러니 한심한 작자라는 거지. 눈으로 보면 모르나? 좌우합작 어쩌고 어물거리는 사이 소련군은 전격적으로 38선을 막아버리고 모스크바에서 받아 온 지령대로 착착 공산화 단계를 밟아 완성해가고 있다는 걸 알고 있을 거 아냐? 그럼 하지 주장대로 남북 좌우합작 연합 정부를 만들어야 한다! 그럼 남북의 준비 상태가 똑같아야 공동정부가 되는 거지 한쪽이 혼란만 거듭하다가 겨우 하나가 되어 공동 정부를 추진하다 보면? 북쪽과는 게임이 안 된다는 것도 알고 있을 텐데 고집만 부리고 허송세월만 하고

227

있네. 게다가 발전소나 공장, 광산 등 중요한 국가 기간산업 시설은 일제 때부터 모두 북한 쪽에 있지. 그런데 소련군이 38선을 막는 바람에 벌써 6개월 넘게 그쪽에서 생산되는 생필품이나 공산품이 공급이 안 되어 서민 생활은 바닥이야. 거기다가 토지개혁 이후 북에서 남으로 생사를 걸고 넘어온 월남 동포들의 숫자는 300만일 세. 어떻게 살란 거지? 하지는 사람을 보내어 날더러 건강 회복에 도움이 될 테니 지방 여행이라도 다녀오라고 강권하고 있네."

"소련이 받을 만한 친소 인사들을 중심으로 좌左에 여운형, 우右에 김규식을 놓고 좌우합작 위원회를 만들어 그들을 적극 지원함으로써 이 박사, 김구 씨를 밀어내고 남한 정국의 주도권을 잡도록 하겠다는 것이 하지의 복안입니다. 박사님께서 서울에 계시면 방해가 될 테니까 지방으로 내쫓기 위해 여행을 권하는 거겠지요……."

"나도 알고 있어요. 솔직히 말해서 나 좌우합작 반대하는 사람 아니야. 김규식과 여운형을 내세워 합작하도록 하지가 민다면 나도 성원하면 했지

반대는 안 해. 잘되기를 바라지. 내가 서울에 있어 될 일이 안 된다면 여행을 가주려 하네. 어쩌면 오히려 잘됐어. 지방 유세를 다니며 국민의 여론을 수렴하고 연설회도 겸할 것일세."

"요즘은 테러가 빈번하니 조심하셔야 합니다. 경찰 경호를 강화하겠습니다."

이승만은 사의를 표하고 4월 15일, 영남지역 유세에 나섰다. 4월 말까지 보름 동안 부산, 대구를 필두로 돌아다니며 여론을 들었다. 그리고 가는 곳마다 시국 강연회를 열고 연설을 계속했다. 영남 유세에서 돌아온 이승만은 김구를 만나 민심의 동향을 설명하고 이어서 하지를 만났고 미 군정청 정치고문 P. 굿펠로우 대령을 만났다. 굿펠로우는 OSS 작전 수립 때부터 친밀하게 지내던 친이승만의 무관이었다.

그런 다음 기자회견을 했다. 회견에서 이승만은 뼈 있는 발언을 했다.

"지방을 순회해보니 민족사상은 하나로 통일이 되어 있었으며 하루라도 빨리 자율적 임시정부가 수립되기를 갈망하고 있음을 알 수 있었다. 나도 그 점에 대해서 생각한 것은 있으나 발표는 아직 못하겠다."

회견 기사가 나가자 '자율적 임시정부'의 정체가 뭐냐, 혹시 남한만의 단독정부 수립을 말하는 거 아니냐며 의심하기도 했다. 회견을 끝내고 돌아온 이승만은 돈암장 내의 작은 기도실에 들어가 꿇어앉았다. 큰 결심을 할 때는 기도실에 들어가 하루나 이틀 동안 나오지 않고 금식 기도禁食祈禱를 하는 게 보통 있는 일이었다. 이틀 동안 아무것도 먹지 않고 마시지도 않으며 오직 기도만 하니 비서들은 그의 건강이 상할까 봐 모두 전전긍긍이었다.

마침내 금식 기도를 끝낸 이승만이 나오자 비서들이 부축해 식당으로 들어갔다. 얼굴은 수척해지고 몸은 말랐지만, 그의 두 눈은 형형한 불길이 일고 있었다. 부인이 보식補食으로 흰죽을 끓여내 놓았다. 부인은 물론 뒤에 둘러선 비서들 중 누구 하나 입을 여는 사람이 없었다. 그만큼 비장감과 위엄이 서려 있었기 때문이었다. 죽을 다 먹은 그는 조용히 눈을 감고 사색에 잠겼다가 한참 후 눈을 떴다. 무겁게

입을 열었다.

"말해둘 게 있다. 나는 하나님 앞에서 중대한 약속을 했다. 더는 이 나라를 남의 손에 맡겨서는 아니 된다고. 참는 것을 인내忍耐하라 하지만 인내에도 한도가 있다. 신탁통치다, 남북, 좌우합작 임시정부 수립이다 하여 시간만 끌 수 없다. 시간을 끎으로써 더더욱 도탄에 빠져 허우적거리는 것은 민생이며 3천만 국민이다. 38선이 막혀 당장 생필품과 공산품이 없어 삶의 밑바닥을 헤매고 있는 이 민족을 구해내지 않으면 다 죽게 된다. 그래서 민족 단일 자율 정부 수립을 위해 이제부터 나서서 신명을 바치겠다고 하나님께 기도드렸다."

놀란 비서들 속에서 김동성이 다급하게 물었다.

"민족 단일 자율정부라면 남한만의 자율정부를 뜻하는 건가요?"

"북에는 이미 공산당 단일정부가 세워진 거나 마찬 가지다. 그렇다면 남한에도 단일정부가 세워져 양 정부가 연합하여 나중 통일 임시정부를 수립하여 건국으로 나가면 되는 것이다."

231

"위험합니다."

"뭐가?"

"언제, 누가 총을 겨눌지 모릅니다. 치안 부재 상태인데 고하송진우처럼 당하지 말란 법이 없습니다."

"나 한 사람 오든지 기든지 죽든지 살든지 일평생 지켜온 한 가지 목적, 조국의 독립에 몸 바쳐온 것만으로도 족하다. 내 한 몸 바쳐서 만방이 인정하는 새 한국이 건국된다면 더는 여한이 없다. 죽을 각오가 되어 있는데 뭘 두려워하겠나? 죽음, 비난, 겁나지 않다. 혹자는 그럴 것이다. 민족 분단을 고착화하는 민족 반역 행위라고! 미 군정 당국도 비난하겠지. 왜? 하지의 실정失政을 추궁하는 결과니까. 개의치 않는다. 밀고 나갈 것이다."

이승만은 자신의 굳은 결심을 측근들에게 밝히고 영남 유세에 이어 호남 유세를 시작했다.

6. 이승만과 하지의 결전決戰

"이제 우리는, 무기 휴회된 미·소 공위가 재개될 기색도 보이지 않으며 통일정부를 고대하나 여의해지지 않으니 우리는 남쪽만이라도 임시정부, 혹은 위원회 같은 것을 조직하여 38선 이북에서 소련이 철퇴하도록 세계 공론에 호소해야 하니, 여러분도 결심하여야 할 것입니다. 그리고 민족 통일 기관 설치에 대하여 지금까지 노력했으나 이번에는 귀경하면 우리 민족의 대표적 통일 기관을 설치할 것이니

각 지방은 중앙의 지시에 순응하여 조직적으로 활동하여주기 바랍니다."

이승만의 정읍 발언이 보도되자 나라 안이 발칵 뒤집혔다. 이승만이 예상한 대로였다. 가장 극심한 반발을 보인 것은 공산당과 좌익이었다. 민족 분단을 영구화하려는 책동이라느니 조선 민족을 분열시키려는 간계奸計이며 계속 추진한다면 민족 원흉이 될 것이라는 등 수많은 비난을 쏟아냈다. 미군정까지도 이승만의 정읍 발언은 이승만의 사견일 뿐 군정은 인정하지 않는다는 성명을 냈다. 민족 진영인 한민당 정도만 조용할 뿐이었다.

"박사님의 정치 인생, 아니 독립운동 생애에 가장 중대한 위기이며 모든 것을 다 잃으실 수 있는 벼랑 끝에 몰리셨습니다. 어떡하면 좋습니까?"

숙의를 거듭하던 측근들은 침통한 표정으로 어렵게 물었다.

"왜 싸우기도 전에 패장敗將 같은 얼굴인가? 싸움은 이제부터 시작이야. 어느 우화집寓話集에서 본 개구리와 황새 이야기가 생각이 나는군. 황새에게 잡아먹히게 된 개구리가 있었네. 머리와 몸통 절반까지 먹히면 생을 포기할 법도 한데 개구리는 앞다리와 뒷다리로 황새의 목을 힘껏 차내며 끌려들어가지 않으려고 안간힘을 쓰며 혼자 부르짖었어.

"Ever! 아직은 Never! 결코 I don't give up!나는 포기할 수 없다"이라고! 그렇게 버티고 있을 때 기적이 일어났지. 독수리가 날아들어 황새가 물고 있던 먹이를 공격한 거다. 그 바람에 개구리는 빠져나와 목숨을 구했지. 나라와 민족을 위해서라면 내 모든 것을 다 잃어도 후회하지 않을 것이다."

오히려 이승만은 당당했다. 어디에서 오는지 모르는 자신감이 넘치고 있어 측근들을 놀라게 했다. 사흘 만에 돈암장으로 귀한 손님이 찾아왔다. 김구였다.

"어서 오게, 아우님!"

"얼마나 마음고생이 심하십니까? 형님."

"그래도 아우님밖엔 없구면. 염병 생긴 집처럼 다 무서워서 피하는데, 오시다니."

"형님! 나도 정읍 발언에 동감입니다. 당연히 형님 같은 생각을 하고는 있으면서도 용기가 없어 다들

235

침묵했던 거지요. 남한 단독정부 운운했다간 박살이 날 것 같으니 가만있는데 형님께서 불굴의 용기를 보이신 겁니다. 이제 합칩시다. 우리 '반탁 국민 총동원 위원회'와 '독촉중협'을 말이지요. 그리하여 누가 뭐라든 전 민족의 총의를 합일한 독자적 임시정부를 만들기 위한 새로운 '독립촉성국민회'를 조직합시다."

"고맙네, 아우님. 빨리 서두르세."

이승만의 정읍 발언이 있은 지 정확하게 8일 만인 6월 11일. 이승만의 독촉과 김구의 반탁 국민 총동원이 전국 대표자 회의를 개최하고 통합을 선언하며 새로운 기구를 탄생시켰다. '민족통일 총본부'였다. 독자적 정부 수립이야말로 현실적인 민족통일 방안이라며 이승만을 총재로, 김구를 부총재로 뽑았다.

그에 가장 놀란 사람은 하지 사령관이었다. 민족통일 총본부가 발족이 되자 그 이튿날 김규식과 여운형의 좌우합작 노력을 전폭 지지한다는 특별 성명을 냈다. 하지가 반 이승만 반 김구 입장을 견지한 것은 미 국무성의 지시 때문이었다. 국무성 지시에 의하면 이승만과 김구 집단에는 어떠한 호의도

베풀어서도 안 되며 소련의 입장을 수용해가며 모스크바 협정을 실현해가려면 친공親共 중도파 지도자에게 힘을 실어주어 좌우합작 정부를 만들어야 한다 했던 것이다. 하지는 그 지시를 충실히 따를 수밖에 없었다.

군정은 8월 24일, 입법기관인 '조선 과도 입법 의원'을 창설한다는 법령을 발표했다. 그런 다음 좌우합작 위원회와 협의를 거쳐 10월 12일 최종안을 발표하고 10월 20일부터 31일까지 단계적 무기명 비밀투표를 통하여 입법의원을 선출한다고 확정 발표했다.

1. 입법의원 정원 총수: 90명. 45명은 민선民選으로 뽑고 45명은 군정장관이 임명한다.
2. 민의원: 시, 도 단위별로 선거한다.
3. 군, 시 대표: 里, 洞 단위로 뽑고 그들이 읍, 면, 구 대표를 뽑아 군, 시 의원을 뽑는다.

이것은 군정이 이승만과 김구를 국민 선거의 이름

으로 영원히 정계에서 몰아내고 좌우합작파들로 과도 입법의원을 구성하겠다는 계획이었다. 선거관리 위원회 임원들도 합작 위원회에서 파견했으니 우익 진영에는 불리한 편파 선거였다. 하지만 이승만의 '민족통일 총본부'는 선거를 비토하지 않고 참가하겠으며 결과를 겸허히 받아들이겠다고 했다. 마침내 선거 결과가 나왔다. 하지의 희망이 산산조각 나는 순간이었다. 전체 45명 중 이승만계가(김구계와 한민당 포함) 40석을 차지하는 대승을 거두었던 것이다.

선거 감시단인 좌우합작위는 가만있을 수 없어 선거 부정을 들고 나와 서울(3석 한민당)과 강원도 (3석 독촉계)를 선거 무효화한다고 발표했다. 하지는 이유 있다고 받아들여 선거 무효 재선거를 지시했다. 게다가 관선 의원 45명은 이승만과 김구를 배제한 채 좌파와 중도파로 채웠다. 이에 이승만과 김구는 물론 서울에서 된 한민당의 김성수가 떨어져 군정과 좌우합작위에 대한 비난이 쏟아졌다.

화가 난 이승만은 마지막이 왔다는 것을 느끼고 하지 사령관을 만나러 갔다. 자리에 앉자마자 이승만이

쏘아붙였다.

"미스터 하지! 지금이라도 좌우합작위를 키워서 그들에게 정권을 넘기려는 계획이라면 당장 포기하는 게 좋을 것이다."

"나 역시 당신 같은 사람이 정권 잡는 건 용납하지 않을 겁니다."

"나는 당신의 실정을 지금까지는 국내외에서 변호했으나 지금부터 당신을 공개적으로 반대할 것이다."

"미국은 협박 때문에 정책을 바꾸는 나라가 아닙니다. 이승만! 당신도 계속 나에게 협력하지 않으면 끝장날 줄 아시오."

하지도 화가 나서 언성을 높이며 막말을 서슴지 않았다.

"두고 봅시다. 하지! 반드시 후회하게 만들어줄 테니까."

이승만은 군정청을 나와 경교장으로 김구를 만나러 갔다. 그의 얘기를 다 듣고 난 김구는 책상을 치며 분노했다.

"즉시 우리 '임정'을 한국 유일의 합법 정부로

선포하고 미 군정청을 접수하는 투쟁을 선언하고 모두 일어납시다."

김구를 말리는 사람은 이승만이었다.

"나도 당장 그러고 싶지만 참기로 했네. 투쟁을 선언 하면 미국과의 관계가 나빠지고 우리만 고립무원 孤立無援이 될 공산이 크네. 미·소를 다 적으로 만들 수 없잖은가? 차라리 이참에 내가 다시 미국으로 들어가 우리나라의 현실을 알리고, 하지의 실정들을 낱낱이 고발해 친소親蘇 정부 관리들에 의해 한국 문제가 얼마나 꼬이게 되었는지 미 정부, 미 의회 안팎에 알려서 새로운 대한정책對韓政策이 나오도록 해볼 테니 참으시게나."

"과연 그런다고 미국이 변화될까요?"

"제2차 세계대전 때는 이념과 사상이 다른 나라들 이지만 연합국이라 하여 함께 싸웠고 전승국이 되었네. 전후부터는 자국 이기주의가 발동되어 강대국 간 이권 경쟁을 벌이고 있지. 그중 무서운 것은 소련의 공산주의일세. 자국의 주변 국가들을 소련 공산주의 위성국가로 만들려 하고 있어. 북한이 그렇게 넘어갔네. 발칸반도에서는 그리스와 터키가 공산주의 위험에 처해 있어. 그 두 나라가 공산화되면 발칸반도의 체코, 유고, 루마니아, 알바니아는 물론 중동 각국이 위험해지겠지. 미국이 가만있을 수 없을 거야. 공산주의를 막기 위해 특단의 조치를 취할 걸세. 그게 나오면 한국 정책이 완전히 바뀔 수도 있네."

"역시 형님은 탁월한 식견을 가지셨소. 다녀오시오."

이승만은 곧 도미를 서둘렀다. 그것을 안 하지가 방해했다. 민항기가 뜨는 동경까지는 군용기를 이용해야 하는데 이승만의 군용기 탑승을 봉쇄해버렸다. 이승만은 태평양 사령부 맥아더 사령관에게 사정을 전보로 알렸다. 그러자 맥아더는 자신의 특별기를 서울로 보내어 이승만을 동경으로 올 수 있게 해주었다. 동경에 도착할 때쯤에는 국무성에서 보낸 이승만의 군용기 탑승 금지령이 하달되었다.

맥아더의 주선으로 노스웨스트 민항기를 타고 이승만은 미국으로 향하여 12월 7일, 워싱턴D.C에 도착했다. 마운트 플리전트에는 그가 살던 집이 있었지만,

그는 일부러 칼튼 호텔을 숙소로 정했다. 칼튼 호텔은 워싱턴을 찾는 각국 정부 요인들이 모여드는 곳이었던 것이다. 이승만은 우선 구미 위원부 책임자를 불렀다.

책임자는 비서였던 임병직이었다. 이승만이 귀국한 후 구미 위원부 일은 그가 맡고 있었다. 일단 호텔 방에 위원부 사무실을 겸하게 하고 미국에서의 활동에 들어갔다. 1월 28일, 이승만의 측근인 임병직과 임영신, 변호사 스테거슨 그리고 언론인 윌리엄스, 마침 미국에 들어와 있던 군정청 정치고문이며 미군 OSS 책임자 굿펠로우 대령 그리고 올리버 박사 등이 참석하여 5개 항의 건의서를 작성하고 미 국무성에 제출했다.

그런 다음 "조선인의 독립 요구는 즉시 성취되어야 마땅하다. 모든 국민은 미·소의 긍정적 결정에 기대하며 참고 참아 왔지만 더는 참지 못할 위험 수위에 다다랐다. 새로운 전쟁이 일어날지도 모른다. 자유 민주적 조선의 탄생이야말로 극동의 평화를 의미하는 것이기도 하다." 그런 내용의 성명을 발표했다.

그러면서 이승만은 트루먼 대통령과 폴 H. 스파크

유엔사무총장의 면담을 추진했다. 그러나 아직도 건재한 친소파 관리들의 방해로 성사되지 못했다.

"그렇게 막힐 때마다 다른 방법을 사용하셨잖습니까? 외곽 때리기!"

임병직의 말에 이승만은 씁쓸하게 웃으며 고개를 끄덕였다.

"좋지. 외곽을 때려서 소기의 목적을 이룬다. 내가 30년간 즐겨 쓰던 전법이지. 오늘부터는 나와 가까웠던 상하 양원 의원들을 만나 도움을 청하고 언론 매체를 최대한 이용하여 미국 정부의 대한 정책을 바꿔보자."

그는 방향을 바꾸어 전부터 자신에게 호의적이었던 W. 놀란드 의원, R. 태프트 의원, A. 반덴버그 의원, J. 스파크먼 의원 등을 하나하나 만나며 한국의 자율정부 수립에 협조해주기를 부탁하여 그들의 긍정적인 대답을 받았다.

이어서 언론으로 활동 폭을 넓혔다. 그는 미국의 유력지에 인터뷰 기사를 활용하고 특별 기고문을 게재하면서 미국은 이제 모스크바 소비에트연방과의 밀월蜜月 꿈에서 깨어나야 한다. 그들은 국제 공산주의라는 위험한 무기를 가지고 있기 때문이다. 그들은 한반도 북쪽을 점령하고 자국의 위성국 衛星國을 만들기 위해 공산주의 정부를 세웠다. 그런 다음 수십만의 병력을 양성하고 무기를 지원하고 있다. 그러나 남한 지역은 무정부 상태의 혼란만 거듭되고 있다. 자유 한국의 자율정부가 세워져 방파제 역할을 해야 하는 이유가 거기 있으며 이는 미국의 이익과 부합되고 세계 평화에도 이바지하게 될 것이다. 그럼에도 주한 미 군정사령관 하지는 용공적容共的 정책으로 일관하여 소련을 이롭게 하고, 전체 한국 자유 국민의 의사를 무시한 채 실정失政을 계속해 오고 있다. 묵과해서는 아니 된다.

이승만의 언론 활용을 도운 유력지의 기자들은 J. 윌리엄스를 비롯하여 AP 통신의 J. 하이타워, 시그리드 안 기자, 그리고 UP 통신의 S. 헨슬리, 뉴스위크지 기자, H. 아이작 기자 등이었다. 연일 이승만이 주장하는 하지의 실정과 한국 독립을 위한 자율정부 수립이란 '이슈'는 미국 조야에 주목받는 화제가 되었다.

이쯤 되자 미국 정부와 의회가 가만있지 못해 하지를 급히 소환했다. 하지는 트루먼 대통령 앞에서 한국 실정에 대해 보고를 해야 했고 의회 청문회에 출석하여 의원들의 질문 세례에 시달려야 했다. 의원들의 질문 중에는 주한 미군의 남한 철수에 대해 어떻게 생각하느냐는 게 있었다.

하지는 "남한에서 미군이 철수하면 한반도는 즉시 공산화될 위험이 있다. 그 이유로는 북한에는 지금 소련군의 무기 지원으로 양성되고 있는 병력 다수가 있기 때문이다. 따라서 지금은 소련과의 평화적 협상(제2차 미·소 공위)에 더욱 노력을 기울여야 할 때라 생각하고 있다"고 말했다.

그 같은 하지의 주장은 그러므로 속히 남한에서의 한국인 자율정부가 수립되어 공산주의 위협을 막아내고 북한까지 아우르는 통일정부를 만들어 건국해야 한다는 이승만의 주장을 지지해주고 그의 주장이 옳았다는 것을 시인한 셈이 되었다.

그로부터 며칠이 지나지 않은 3월 12일. 이른바

'냉전 시대冷戰時代'를 예고하는 트루먼 독트린이 발표되었다. 소련의 공산 세력의 위협에 직면한 터키와 그리스에 군사적, 경제적 원조를 제공할 것이며 "미국은 전체주의의 직접 및 간접 침략으로부터 자유로운 국가나 제도를 수호할 것이다"라는 것이 그 내용이었다.

이건 진작부터 이승만이 예견하고 미국 조야에 알린 그의 일관된 주장이었다. 그리하여 1947년 3월 12일은 한국으로서는 단독 자율정부 수립의 가능성이 활짝 열리게 된 기념할 만한 날이 되었다. 이승만의 활동이 성과를 거두었던 것이다. 3월 20일이 되자 〈뉴욕 타임스〉는 "주한 미 군정의 업적은 혼란과 지연뿐이었다. 그리고 미 정부의 대한對韓 정책은 전前 적국이었던 일본보다도 미미하게 홀대하다가 이제야 의회는 3년간 6억 달러에 대한 원조 계획을 검토 중이다"라고 보도했다.

이어서 미 국무차관 애치슨의 "미 국무성은 마샬 국무장관의 지시에 따라 한국 사태를 한층 심도 있게 검토 중"이란 기자회견문이 나왔다. 이승만의 측근들은 그날 밤 칼튼 호텔 방 안에서 축배를 들었다. 올리버 박사에 의하면 애치슨의 그 발언은 미 정부가 이 박사의 단독정부 수립에 긍정적 평가를 한 것이며 이제 그 실현 단계에 들어섰다는 분석이었다.

이승만의 외교 노력으로 미국의 대 한국 정책이 바뀌게 되었다는 보도가 나오자 국내의 독립촉성 국민회의와 한국민주당 등은 전폭적인 환영의 뜻을 밝혔다.

"남한에서 한국인에 의한 자치정부가 수립되고 유엔의 일원으로 가입하면 한국 문제를 정확히 호소하여 남북한 통일이 스스로 이루어질 것이다."

이처럼 이승만의 도미 외교가 성공하여 결실을 보게 되었는데 국내 사정은 상당히 좋지 않은 쪽으로 급박하게 돌아가고 있었다. 지난 1월 11일, 군정청 하지 사령관은 소련 대표 스티코프 간에 교환되었던 서한들을 발표하며 무기 휴회 중인 미·소 공동회의가 재개될 것임을 시사했다. 그런데 문제는 소련 측 서한 내용이었다. 소련 측은 그때까지도 모스크바 결정을 지지하는 정당, 사회단체만 협상 대상으로 한다고 명문화하고 있었던 것이다. 그것은 공산당 정부를 세우자는 거나 마찬가지라며 반탁, 민족진영에서는 또다시 세찬 반탁운동을 준비했고 전국 총학생연맹이 앞장섰다.

이에 이승만은 김구에게 전문을 보내어 과격한 시위는 자제해달라, 미 군정이나 미 정부와 맞서는 것 같은 노선을 취하면 향후 민족 자율정부 수립에 부정적인 영향을 끼치니 미국을 적대시하지 말기를 바란다고 촉구했다. 그러나 김구는 이승만의 당부를 듣지 않고 임정 세력 주도로 격렬한 시위를 벌였다.

임정 국무위원들을 비롯한 간부들은 이번 기회를 천재일우로 삼고 임정이 곧 민족 자율정부라는 사실을 국내외에 인정을 받고 열국의 승인을 받을 호기好期라는 데 의견 일치를 보았다. 그리하여 김구는 기존의 '민통'과 '독촉 국민회'를 비상 국민회의에 흡수시키고 독립 진영의 정당들도 하나로 통합하여 민족진영의 유일한 최고기구를 설치한다는 것을 발표했다. 그렇게 하여 '임정'이 정국의 주도권을 이번에는 확실하게 잡겠다는 것이었다.

정당은 한독당과 한민당의 통합 협상이 진행되었다. 만일 두 정당이 합당되었더라면 군정도 '임정'의 파워를 견디지 못할 정도가 될 수 있었다. 그러나 당대 당 통합이 아니라 한민당으로의 흡수 통합이란 것 때문에 세가 약한 한독당이 반대하여 끝내 결렬되고 말았다.

이에 좌익의 '민전' 쪽에서도 강력한 모스크바 협정 지지 시위를 일으키고 반대 시위대와 유혈 충돌까지 벌였다. 임정은 3월 1일, 한국 국민대표자대회를 개최하고 "대한 임시정부만이 30년 계속된 법통 정부이므로 우리는 이를 봉대하고 천하에 공포한다"며 결의했다.

그리고 임정을 개편하여 주석에 이승만, 부주석에 김구를 선출하여 재정비를 완료했다. 그런 다음 미 군정장관 브라운을 만나 군정청은 '임정'을 승인하고 '임정'에 미 군정 정권을 이양하라고 요구했다. 이건 김구의 제2의 쿠데타 기도라고 하지는 펄쩍 뛰며 미 군정청 수도 경찰청장인 장택상에게 '임정' 내부를 수색하고 임정 간부들을 체포, 처벌하라 명령했다.

한편 김구는 군정청으로부터 정권을 인수받고 '임정'을 새로운 민족 자율정부로 선언하겠다며 이승만에게 전보를 쳐서 알렸다. '주권 선언主權宣言 시기 도래到來.' 이승만은 전보를 받자마자 놀라서 좀 더 미국에 체류하려던 계획을 취소하고 급히 서둘러 4월 15일, 귀국 비행기에 올랐다. 도미 외교를 벌인 지 40일 만의 귀국길이었다.

그는 동경에 도착하자마자 D. 맥아더를 만나 도미 외교 성과에 대해 설명하고 지지를 얻어낸 다음 중국 남경으로 날아갔다. 장개석蔣介石 총통을 만나 한국의 민족 자율정부 수립에 전폭적인 지원을 해주겠다는 약속을 받고 그가 제공한 특별기 편으로 광복군 사령관 이청천李靑天 장군을 대동하고 김포공항에 도착했다.

4월 27일에는 동대문운동장에서 우익 진영이 개최한 이승만 박사 귀국 환영 대회가 대규모로 열렸다. 그 집회에서 이승만은 이번 방미 성과 중 하나는 미국이 트루먼 독트린을 발표함으로써 반공反共으로 국책을 바꾸게 되었다는 것이며 그로

인하여 한국은 남북통일을 위한 남한 과도정부 수립의 길이 열렸다는 것을 강조했다.

"남한 과도정부를 수립하여 소련과 절충하여 남북통일을 꾀하지 않으면 아니 됩니다. 이제 우리는 '대한 임정'의 법통을 고집할 필요가 없으며 이 문제는 보류해두어야 할 것입니다. 그리고 김규식 박사도 이제는 합작을 단념하고 나와 같이 보조를 취해야 할 것입니다."

그렇게 결론을 내렸다. 이건 임정만이 유일한 민족 임시정부이므로 미 군정에 정권을 이양받고 독립정부임을 선포한 후 모든 국민의 힘을 결집해 민족 자율정부 수립에 나서자는 김구의 입장에 정면 배치되는 발언을 하여, 김구와 정치 노선을 달리하게 되고 그와 결별하는 원인이 되었다.

이승만은 임정이라는 중간 단계를 거칠 필요 없이 곧바로 국민 총선거를 시행하여 자주독립정부를 수립하자는 주장을 한 것이다. 게다가 김규식에게 좌우합작을 단념하라 한 것은 하지에 대한 선전포고였다. 하지는 애초부터 소련이 받을 만한 친소

인사들을 중심으로 좌우합작 위원회를 만들고 이들을 적극 지원함으로써 신생 정부 수립을 맡기고 이승만과 김구는 발을 붙이지 못하게 한다는 게 계획이었다.

그래서 여운형左과 김규식右. 그러나 엄밀히 따지면 김규식은 중도좌파에 속하는 인물이었다에게 청하여 만들어진 것이 '좌우합작 정부위원회'였다. 하지는 합작위를 동원하여 '조선 과도 입법의원' 전국 선거를 치르게 했다. 이승만과 김구를 제거하기 위한 선거전이었지만 결과는 이승만계의 압승으로 끝났다.

7. "나의 길을 가련다" 백범 김구

하지는 실패와 실정을 만회하기 위해 김규식과 여운형에게 전권을 부여하며 좌우합작에 심혈을 기울였다. 그러면서 갑자기 이승만을 돈암장에 가두어 버렸다. 외부와 접촉이 안 되도록 연금을 한 것이다. 방문객 출입이나 외부인 면담도 금지되고 우편물이나 통신 일체도 미군 C.I.C방첩대의 검열 대상이 되었다.

제2차 미·소 공동회의를 앞에 두고 하지는 임정에 내사를 벌여 철퇴를 가하기 위한 준비에 들어가고 이승만이 공회에 훼방을 놓을까 봐 가택연금을 시켰던 것이다. 공위가 열렸다. 미국은 소련과의 협상으로 남북 장벽을 풀고 모스크바 협정을 지키는 좌우합작 정부를 세우려는 시나리오를 밀고 나갔지만 소련측은 1차 때의 주장에서 단 한 발도 양보하지 않았다. 모스크바 협정을 지지하지 않는 정당, 사회단체는 배제하겠다는 것이었다.

협상이 난항을 거듭하고 지연되었다. 미국 정부도 전과 달랐다. 소련이 조기에 회의를 무산시키려 하거나 질질 끌 때는 끌려가지 말고 그 과정을 보고서로 작성하여 차기 유엔총회 회기에 한국 문제를 정식으로 상정하겠다는 뜻을 공개 천명하라는 미 본국의 지시를 미리 받고 있었다.

결국 미소공위가 교착상태에 빠지고 결렬이 되자 미국은 한국 문제를 9월 23일 개최되는 유엔총회에 상정하겠다고 소련 측에 통보했다. 드디어 한국 문제는 유엔총회 전체회의에 넘겨져 찬성 41표, 기권 6표로 가결되어 10월 28일부터 11월 13, 14일 양일간 토의를 거쳐 1948년 5월 31일 이내로 대한민국 독립을 위한 총선거를 실시하도록 유엔 감시단을 파견하기로 했다. '유엔 임시 한국위원단'은 호주, 캐나다, 중국, 엘살바도르, 프랑스, 인도, 필리핀, 시리아, 우크라이나 등 9개국 대표로 되어 있었으나 우크라이나의 불참으로 8개국 대표 34명은 1948년 1월 8일 서울에 도착하여 국민의 뜨거운 환영을 받았다.

이들은 인도 대표 메논 박사를 임시 의장에 선출하고 선거 감시단을 구성했다. 이들은 남북한 주둔 미·소 군사령부를 방문하려 했으나 소 군사령부가 거절하여 가지 못했고 북한을 방문하려 했으나 소련 정부의 거부로 입북을 포기했다. 이리하여 남북한 총선거에 차질이 빚어지자 유엔 위원단은 긴급회의를 열고 결국은 감시할 수 있는 남한 지역만이라도 우선 총선거를 실시하고 북한 지역은 나중에 하기로 정하고 메논 의장과 중국 대표 후스쩌 두 사람을 유엔 본부에 파송했다.

두 사람은 감시 가능한 남한 지역 단독 선거안을 제출하여 유엔 특별 소총회에서 1948년 5월 10일 유엔 감시하에 남한 총선거실 시안을 원안대로 의결했다. 이로써 남한 지역 단독 총선이 결정되었다. 우익 세력들은 모두 환영 일색이었으나 좌우합작파 내지는 북한 공산당에서는 '단독정부 수립'은 민족 분단을 고착화하는 결과를 가져오기 때문에 반대한다고 들고 나섰다. 좌우합작을 해서 모든 정치세력을 통합하면 그때 미·소 양군이 한반도에서 철군한 뒤 민족이 자율적으로 독립정부를 세우는 것이 순서라 주장했다. 총선 반대 투쟁은 먼저 중도파 여러 정당이 연합해서 전개하고 '남북 협상'부터 이루자는 쪽으로 펼쳐나갔다.

한반도 내에서의 정부 수립은 사실상 북한에는 인민위원회 정부가 진작부터 들어서 있었으므로 남한만의 단독정부 수립은 우익 세력, 그중에도 이승만의 단독정부가 된다고 '단정 반대자'들은 판단하고 있었던 것이다. 그런 의미에서 김구와 김규식이 손을 잡은 것은 자연스러운 순서였는지 모른다. 남한에서 이승만이 독주하면 자기들은 설 땅이 없게 된다고 임정파들은 김구에게 이승만과 결별하라고 요구했다. 그의 주위에는 그 외에도 성시백이나 서영해徐嶺海 같은 기회주의자들의 간언도 큰 작용을 했으리라 보는 견해도 있으나 확인할 수는 없다. 서영해는 경교장으로 김구를 날마다 찾아다니며 충동질을 했다고 한다.

"남북한을 합하여 총선거를 시행하면 선생님께서 정권을 잡습니다. 왜냐고요? 북한 정권은 이미 일당 독재를 하여 민심을 잃었기 때문입니다. 선생님께서 뭐가 부족하여 이승만의 남한 단독 선거에 참여하시려고 하십니까? 김일성도 김구 선생을 대통령으로 모시려고 만반의 준비를 하고 있습니다."

거기에 현혹당할 김구는 아니었을 것이다. 그는 남북이 협상하여 민족 통일정부를 세워야지 남한만의 단독정부 수립은 안 된다는 대의명분大義名分을 내걸고 단정單政을 반대하고 있었던 것이다. 김구와 김규식은 유엔위원단 앞으로 남북 요인 회담을 개최하려 하니 남북회담에 찬동하는 정당 회의를 소집하여 남측 대표단을 구성하고자 한다는 서한을 메논 의장에게 보내왔다. 이건 유엔 결의에 위반되는 사항이므로 유엔위원단의 중국 대표 유어만劉馭萬이 김구와 김규식, 이승만을 만찬에 초대하여 세 사람의 행동 통일이 중요하다고 설득했다. 그에 그치지 않고 하지도 그 3인을 초청하여 행동 통일을 권고했다.

"형님은 유엔의 뜻에 따르자 하는데 거기엔 큰 문제점이 있습니다. 남한만의 단독 총선과 정부 수립은 분단 고착의 민족 반역자라는 역사의 심판을 받게 된다는 사실을 왜 모르시오?"

김구의 항의 섞인 나무람이었다.

"아우님은 누구보다 현재의 남북한 실정에 대해 잘 알고 있지 않소? 우리 남쪽은 좌우합작이다, 남북협상이다 하는 바람에 시간만 허비하고 혼란 속에 헤매고 있었소. 북한은? 소련군이 진주하며 즉시 38선에 분단 벽을 만들고 조선 공산당 임시위원회를 전국적인 기구로 만들고 소련 당 중앙의 지시에 따른 과도정권을 수립했습니다. 그런 다음 수십만에 이르는 병력을 양성하고 소련으로부터 무기 지원까지 받고 있소이다. 그거야말로 공산당의 완전한 단독정부가 아니고 뭐요? 그런 사람들과 협상을 해서 남북이 하나 되는 통일정부를 세우자 하고 있으니 얼마나 어리석습니까? 대등한 입장에서의 협상이 아니라 이건 강세와 약세의 협상이니 약세의 흡수 통합은 자명하므로 통일정부는 공산 정부가 되는 게 아니냔 말이오? 밥상 차려 누구한테 바치자는 것이오? 그걸 잘 알면서 민족 통일의 명분과 대의만 찾고 있으니 한심하다는 거요. 그건 우사尤史. 김규식의 아호도 마찬가지야! 당대 최고의 지식인이라는 자네의 식견이 고작 남한 단독정부 수립을 위한 총선 반대인가? 이미 국가 체제를 갖춰가는 북한 당국이 뭐가 아쉬워 남북 협상을 하자고 하겠나? 그들에게 이용만 당하는 거라고."

그 말에 김규식은 술잔을 비워내고 고민스러운 표정을 풀지 못했다.

"총선거를 반대하는 건 아닙니다. 남북 협상으로 통일정부가 가능한지 안 한 지도 알아보거나 시도해 보지도 않은 채 덮어놓고 유엔의 결의이니 그에 따라 남한만의 총선거라도 지지해야 한다는 데는 문제가 많다고 봅니다. 분단 고착에 대한 책임은 어떻게 지려고 그러십니까? 백범 선생과 저는 이겁니다. 북쪽과 일단은 터놓고 남북 협상을 해보고 싶다는 겁니다."

"해서 실패하면?"

"실패하면 그땐 공개적으로 남한 단독 총선을 지지하기로 백범 선생과 약속했습니다."

"할 말 없군? 부디 성공하기만 바라네. 하지만 어려울 거야."

유엔위원단이나 군정의 하지가 원하던 3인의 행동 통일은 이뤄지지 못했다. 김구는 이미 이승만과는 건너올 수 없는 루비콘 강을 건너간 듯이 보였다. 그 뒤 김구는 북한의 김일성과 김두봉 앞으로 남북 협상을 제의하는 밀서를 작성하여 비밀리에 평양으로 보냈다.

답신은 당장 오지 않았고 한 달이 지날 무렵 3월 16일, 김일성과 김두봉 공동명의의 서한이 비밀리에 김구와 김규식 양인 앞으로 전해졌다. 4월 초에 '납북 조선 소범위小範圍의 지도자 연석회의'를 평양에서 개최하기로 했으며 의제는 조선 내의 정치 상황에 대한 의견 교환, 남조선 단독정부 수립을 위한 총선 반대 투쟁 대책, 조선 통일정부 수립에 관한 토의 등이라 했다.

김구와 김규식은 그에 힘을 얻어 남북 협상을 위한 '통일 독립운동가 협의회'를 서둘러 조직했다. 통독협은 남한 내의 중도파 군소 정당을 다 모아 결성하고 남북회담에 임했다. 북한에서는 또 소식이 없다가 갑자기 4월 14일, 평양에서 '전조선 정당 사회단체 대표자 연석회의'를 개최하기로 했다며 평양 방송을 통하여 보도하고 김일성, 김두봉 공동명의의 서한을 김구, 김규식을 비롯한 남한 내의 협상파 정치인들에게 보내왔다.

양 김김구, 김규식은 사전 조율도 없이 회담한다고 북한이 발표하자 불쾌함을 감추지 못하며, 갑자기 남북 협상 연석회의를 한다고 평양 방송을 통하여 통보하는 것을 보면 우리와는 아무런 사전 협의 없이 일방적으로 정한 것으로 보여 마치 미리 다 준비된 잔치에 참예만 하라는 게 아닌가 하는 의구심이 들기도 한다. 하지만 우리 두 사람은 남북회담 요구를 한 이상 좌우지간 가는 것이 옳다고 생각한다고 기자회견에서 견해를 밝혔다.

이윽고 4월 19일, 김구는 "남북 협상이 성사되지 않으면 난 38선을 베고 누워 죽음도 불사하겠다"라며 조소앙, 조완구, 홍명희 등의 일행과 함께 38선을 넘어 평양으로 들어갔다. 김규식은 설사를 이유로 따로 늦게 들어갔다. 이들이 20일에 회의장에 도착해보니 회의는 전날인 19일부터 시작되어 3일째인 22일에야 김구는 한독당 간부들, 다른 일행들과 함께 회의에 참석할 수 있었다.

회의는 이튿날이 되자 '조선 정치 정세에 관한 결정서'와 '남조선 단선 반대 투쟁 대책에 관한 결정서'를 채택하고 폐회되었다. 이른바 김구와 김규식을 비롯한 남한에서 간 '통일 독립운동가 협의회' 전원은 북한 측 대표들에 이어 지지 서명, 날인을 끝냈다.

'조선 정치 정세에 관한 결정서'의 내용을 보면 조선 문제를 미·소 공위에서 해결하지 못하게 하고 유엔에 넘긴 미국을 조선 통일 파탄의 원흉으로 보며, 미국의 괴뢰정부인 남한만의 단독정부 수립을 위한 총선거를 시행하려고 책동하고 있다. 미국의 그와 같은 반동 정책을 지지하고 민족을 팔아먹는 이승만, 김성수 같은 매국노들이 발호하고 있다. 우리는 남조선 단독 선거를 파탄시켜 나가야 하며 외국 군대를 철퇴시키고 통일적 민주주의 자주독립 국가를 수립할 권리를 부여하는 소련의 제안을 반드시 실현해야 할 것이다. 그런 것들 이었다.

그리고 '남조선 단선 반대 투쟁 대책에 관한 결정서'는 남조선 단선 반대를 위한 효과적인 투쟁을 위해 단선 반대 투쟁 전국 위원회에 자동 가입되며, 남로당의 투쟁 세부 계획에 따라 일치단결하여 목적 달성을 해야 한다는 내용이었다. 이어서 4월 30일 밤에는 평양에 있는 김두봉金枓奉의 집에서 배석자 없이 4김김구, 김규식, 김두봉, 김일성 간담회가 열렸다.

이 자리에서 김구는 38선으로 물 공급이 안 되는 황해도 연백평야에 물을 공급해달라, 수풍 발전소 전력 공급을 남한에 재개해달라고 청했다. 김일성은 구두로 승낙했다. 그러자 김구는 자기가 돌아갈 때

조만식과 동행하고 싶으며 중국 여순에 있는 안중근 의사의 유해를 서울로 모셔가고 싶다고 협조를 당부했다. 그에 대해 김일성은 소련군 사령부와 협의하여 알려주겠다고 즉답을 피했다.

4김 간담회는 정식 회담이 아니어서 모든 약속은 구두로 이루어졌다. 구속력이 없었던 것이다. 김구와 김규식은 제1차 회의를 마치고 서울로 돌아왔다. 두 사람은 월북 회의에서 얻은 성과를 4김 간담회에서 운위된 사항들까지 확정된 약속으로 언론에 발표했으나 애초의 기대만큼 국민적 호응이나 환영이 미약해서 용두사미가 되었다.

한 달이 지난 6월이 되자 김일성과 김두봉은 양인의 명의로 또다시 양 김에게 밀서를 보내왔다. 긴급한 안건이 있으니 해주에서 4인 회담을 조속히 하자는 것이었다. 그러자 양 김은 상의하여 답신을 보냈다. 현재의 여건이 지난번 월북 때와는 많이 달라졌고 입북할 수 없으니 평양에 체류 중인 홍명희洪命熹에게 긴급 안건이 뭔지 알려주고 그를 보내달라 했다. 그러자 홍명희가 오지 않고 요원을 시켜 밀서를 보내왔다.

북한에서도 정부를 수립하려 하니 양 위兩位.양 김 도 여기에 호응해주기 바란다는 내용이었다. 이에 김구와 김규식은 "북조선에서도 단정을 수립하겠다는 것은 이것도 민족 분열 행위가 아니고 무엇인가. 차라리 남조선 국회에 이북 대표 의석을 공석으로 남겨놓았으니 북에서도 선거하여 100명을 뽑아 파견 하면 자동으로 남북통일이 되지 않겠느냐"라고 회신을 보냈다.

이어서 북한 측이 6월 29일부터 7월 5일까지 일방 적으로 제2차 남북조선제정당 사회단체 대표자 연석회의를 개최하자 김구와 김규식은 불참하고 "반 조각 국토 위에 상호 경쟁적으로 단정을 세워 민족과 국토를 분단하려는 행위를 규탄한다. 우리는 남조선이든 북조선이든 분단 정권은 인정치 않는다. 이를 위해 최후까지 노력할 것이다"라는 공동성명만 발표했다.

그렇게 되어 남북 연석회의는 아무런 성과 없이 흐지부지되고 말았다.

"경교장으로 자네가 가서 백범에게 내가 좀 보고 싶어 한다고 전하게."

이승만은 비서실장인 윤치영에게 말했다.

"아직도 백범 선생에 대한 기대를 버리시지 못하고 계십니까? 백범은 절대 U턴하지 않을 것입니다. 그렇게 할 수 없잖습니까?"

"그가 자의와 타의로 선택한 길은 물론 원 웨이One way라 보인다. 돌아올 수 없는 길. 앞으로만 갈 수 있는 외길! 그는 그 길로 들어섰어. 그는 실리實利가 안 되니까 명분名分을 선택했지."

"애초 남북 협상을 통한 좌우합작 통일 독립정부 수립이란 이상과 주장은 전혀 실현 불가능한 공상이었습니다. 북한에 공산국가체제가 들어섰는데 좌우합작을 해야 하니 해체하고 공평한 입장에서 남한과 통일 합작을 해봐라, 그건데 소련이 그 말대로 하려 하겠습니까, 아니면 공산당이 그러겠다고 하겠습니까? 입으로는 그러지요. 자꾸 공산 국가, 국가 하는데 우리가 언제 단독정부를 세웠느냐? 그게 아니니까 남북 협상을 하자 하는 게 아닌가? 백범 선생은 그들에게 이용만 당하시고 망신만 당하신 겁니다."

"그래서 안타깝다는 거야. 남북한 통일정부 수립이란 불가능하다는 걸 알면서도 그는 가능합니다. 국민 여러분 그 길만이 우리 민족이 살길입니다. 나는 남쪽에 단일정부가 서는 것도 인정치 않으며 북쪽에 단일정부가 수립되는 것도 원치 않습니다. 분열이 아니라 통일입니다. 백범은 그렇게 주장하고 있는 거지. 그는 남북 통일정부라는 실리를 얻을 수 없게 되니까 그 정당성만 주장하는 명분을 선택한 거지."

"그렇습니다. 옳은 길을 선택한 불굴의 애국자였다는 평가 쪽을 선택한 거지요. 박사님께서 지적하신 대로 그 길은 다시 돌아올 수 없는 원 웨이입니다. 백범선생은 죽으나 사나 그 길을 가실 수밖에 없는 상황이 됐습니다. 그런 분을 왜 만나시려고 그러시는지 모르겠습니다."

"아니다. 백범의 가는 길을 돌려놓을 수 있는 사람은 나밖에 없어. 불가능하다 해도 만나야 해."

이승만은 비서실장 윤치영에게 김구 면담 계획을

만들어보라 했다. 해가 바뀌고 나자 남한 총선거는 기정사실화되어 군정청은 본국의 국무성 지시를 받고 3월 1일 자로 선거 시행 준비를 발표했다. 군정장관 딘으로 하여금 중앙선거위원 15인의 명단을 공개하고 12일, 유엔 한국위원단은 한반도에서 가능한 지역에서의 총선거 시행을 결의하였다.

이에 따라 하지는 제헌制憲 국회의원을 선출하는 총선거 시행일을 5월 10일로 확정하여 발표했다. 5·10 총선은 소선거구제로 인구 10만 명 단위로 1인의 의원을 뽑았기 때문에 10만 선량이라 부르기도 했다. 21세 이상 남녀에게 선거권이 부여되었으며, 25세 이상자에 한하여 피선거권이 주어졌다. 특기할 사항은 피선거권자의 자격 요건 중에서 일제에 부역했던 친일파들은 완전히 배제하고 있다는 점이었다.

이승만은 감개무량함을 다시 느꼈다. 1898년, 그의 나이 23세였다. 그는 배재학당을 졸업하자 독립협회에 가입하고, 만민공동회에 청년 정치가 연사로 나서 민주 독립 사상과 민권 계몽운동에 앞장섰었다. 그즈음 독립협회가 군주제를 폐하고 공화제를 채택,

쿠데타를 하려 한다는 수구파들의 모함으로 이상재를 비롯한 17명의 독립협회 간부들이 피체되고 협회가 강제 해산되었다. 이승만은 이에 배재학당 후배들을 이끌고 경무청과 평리원법원 앞에서 연좌 농성 시위를 벌였다. 구속자를 석방하고 모함자인 수구파 5대신을 처단하고 개혁 조치를 이행하라는 것이었다. 농성장은 후배들뿐 아니라 일반 시민까지 가세하여 수천 명으로 불어났다. 수구파는 시위대를 해산시키려고 보부상패 2천 명을 동원하여 몽둥이질을 했다. 그래도 굴복하지 않고 시위를 계속하여 마침내 승리했다. 고종은 구속자들을 석방하고 이승만의 요구대로 개혁 조치를 단행했으며 국회라 부를 수 있는 '중추원中樞院'을 설치하기로 약속하고 의관의원 50명을 임명했었다.

'그때는 조정에서 비록 의원을 임명했지만, 지금은 그토록 평생 소원하던 일반 국민의 직접 선거에 의한 투표로 의원을 뽑고 국회를 개원하게 되다니. 정말 감격스러운 일이구나!'

"무슨 생각을 그렇게 골똘히 하세요?"

부인이 차를 가져오며 맞은편 자리에 앉았다.

"사십육–칠 년 전 생각을 했소. 우리나라가 언제나 봉건왕조 국가에서 민주주의 국가가 될까 정말 요원해 보였는데……."

"이번 총선거 생각을 하셨군요. 식기 전에 이 차드세요. 을생이가 담아 온 오미자차예요. 얼마나 상큼한지 모르겠어요."

"고맙소. 당신도 들구려."

그때 중앙 방송국 보도 담당 국장이 찾아왔다는 전갈이 있었다.

그가 들어왔다.

"안녕하십니까? 박사님."

"어서 오시오."

"역사적인 총선 일자가 확정되었습니다. 일반 국민이 투표로 선거를 치러보지 않아서 상당히 낯설어하고 있습니다. 국민이 자신감을 가질 수 있도록 담화를 발표해주셨으면 합니다."

"그럽시다. 좋은 생각이야."

이승만은 곧 담화문을 발표했다.

"아직도 총선거에 대하여 이해를 잘 못 하는 동포들이 있는 듯한데 민주주의 국가에서는 민의대로 대표를 선출하여 그들로 하여금 국회를 구성하고, 국회에서 국법을 만들어 치국治國하는 것입니다. 이리하여 국권을 회복한다면 우리 일을 간섭할 리도 없고 간섭한다는 것은, 특히 공산주의자들이 자유를 구속하고 공산파에만 투표하도록 조직하려는 것을 감시하려 함이오. 여러분은 자기 정파에만 투표하도록 권하는 정당을 주의하시오. 우리는 정식적, 법리적으로 또 대규모로 이 선거를 시행해야겠는데 지금 남들은 우리를 40년간 정치를 못 해본 국민이라 능력이 없다는 치욕스런 말을 하는 것입니다. 그러므로 우리는 이번 선거를 모범적으로 실시하여 우리의 면목을 회복시켜야 합니다."

8. 우뚝 선 신생 민의民意의 전당.
대한민국 국회

　좌익 세력은 5·10 남한 총선거를 파탄내기 위한 격렬한 투쟁을 여러모로 벌이고 있었다. 해방 직후 국제 공산주의자들은 재빨리 소련의 지도를 받아 북한 지역에 가정부假政府 조직을 만들고 차후 공산 정부 수립에 대비하고 남한 쪽 공산주의자들과 좌익 세력에게도 같은 조직을 만들어 이른바 1단계 혁명인 '부르주아 민주주의 혁명'을 시작하도록 했다.

　박헌영은 그의 논문 '8월 테제'에서 조선의 완전한

공산주의 혁명은 2단계 혁명을 거쳐야만 완성된다고 선언하고 있다. "제1단계는 '부르주아 민주혁명'이다. 이 부르주아 민주혁명은 '착취 받는 근로대중이 민주주의적인 정치, 경제적 요구를 들고 적극 참가하는 부르주아 혁명의 발전된 형태'를 말한다."

"부르주아 민주주의 혁명의 대표적 승리는 1917년 2월 소련의 혁명이다. 노동자 계급이 영도하는 부르주아 민주주의 혁명을 철저히 수행해나가면 혁명 2단계인 '사회주의 민주 혁명'을 완성하게 된다. 그와 같은 당면 과제들을 실천하는 부르주아 민주주의 혁명은 노동자, 농민, 도시 소시민과 인텔리겐치아가 연합, 동력을 구성하여 추진하고 이들 '혁명의 동력'은 프롤레타리아노동계급의 헤게모니하에 혁명 투쟁을 해야 하며 이들 혁명 세력이 싸워야 할 반동 세력은 지주地主, 고리대금업자, 반동적 부르주아이자 민족 및 사회 개량주의자 세력이다"라고 박헌영은 자신의 논문에서 천명하고 있었다.

그러나 해방된 조선에서는 이른바 부르주아 혁명을 전개해나가는 데 아주 취약한 조건이 가로막고 있었다. 그것은 지주계급은 있었으나 자본주의 경제가 발달하지 않아서 사회주의 혁명의 원동력이 되는 프롤레타리아노동계급의 수가 적었기 때문에 혁명의 주체 세력이 되지 못한 것이다. 그래서 나온 전술이 통일 연합전선의 구축이었다. 여러 정치세력을 공동의 목표민족통일정부 수립하에 뭉치게 하고 공산당이 주도권을 잡아 혁명 세력화해나가는 전술이었다. 그러나 이 전술은 성공하지 못했다. 게다가 남한만의 단독 정부 수립이 유엔에 의하여 가시화되자 그들은 전술을 바꿨다.

"폭력을 통한 기존 체제의 붕괴가 더 나은 혁명의 세계로 이어진다"는 이른바 트로츠키의 영속永續 혁명론대로 '폭력 전술'로 바꾼 것이다. 선동, 폭동, 파업, 태업, 시위, 농성 등을 통해 폭력으로 부르주아 체제를 뒤집어엎고 남한을 공산 혁명화시키겠다는 것이었다. 폭력 전술의 효시는 1946년 5월에 일어났던 '조선 정판사 위조지폐 사건'이었다. 공산당 재정부장이었던 이관술의 지시에 따라 공산당 당원이었던 정판사 사장 이종락은 건물 지하 인쇄소에서 대량의 위조지폐를 찍어내어 유통했다. 경제 혼란을 노림과 동시에 정치 자금화하기 위해서였다.

경찰 수사가 진행되자 이들은 미 군정의 음모라며 시위대를 조직하고 재판이 열리던 법원 주변까지 동원하여 극렬히 시위를 벌였다. 이에 군정은 분노하여 공산당 기관지 〈해방일보〉를 폐간 조치하고 공산당 간부이던 이주하李舟河를 체포한 뒤 박헌영을 지명 수배했다. 그 이후에도 그들은 '10월 추계 총파업'을 계획 지시하고 한 달 앞당겨 9월 23일 '부산지역 철도 노조 파업'을 일으키게 하고, 이어서 25일에는 '출판 노조 총파업'을 지시하여 시행에 옮겼다. 이 같은 연쇄 파업은 북한에서 "위대한 10월 인민항쟁"이라 부르는 '대구 폭동'의 전주곡이었다.

10월 1일.

굶어 죽게 생겼으니 쌀을 달라며 부녀자들이 대구 시청에 난입하여 시위를 벌였다. 동시에 대구역 광장에서는 노동자들이 경찰과 투석전을 벌이며 시위를 하고 있었다. 그런데 불행하게도 시위 노동자 하나가 경찰의 오발 사고로 사망했다. 이튿날이 되자 노동자들은 그 시체를 떠메고 거리로 나왔다. 이렇게 되자 학생들까지 가세하여 대규모 폭동으로 번져 경찰서를 습격하여 무기를 탈취하고 우익 인사는 불론 가족까지 학살했다. 이와 같은 폭동, 테러는 5·10 총선거 실시 기간 내내 계속되기도 했다.

총선거를 앞두고 미 군정의 하지는 왜 총선이 합법적인 자유선거로 치러져야 하는지, 투표를 거부하는 세력에 동조하면 조선 독립의 지연을 초래하여 공산주의 세력이 팽창하는 결과만 가져온다며 여러 차례 격렬한 선거 반대 투쟁을 전개하고 있는 좌익 세력과 일부 정치인들에게 경종을 울리기 위한 성명을 발표했다.

이윽고 선거인 등록 일자1948년 3월 30일~4월 13일까지 및 입후보자 등록 기간3월 30일부터 투표일 24일 전까지 실시을 공고했다. 그리고 투표일은 5월 10일로 정해졌다. 이렇게 되자 이승만이 거처하던 돈암장은 연일 찾아오는 우익 측 인사들로 만원이었다.

"좋습니다. 제일 시급한 문제부터 해결합시다. 우익 정당과 사회단체를 하나로 묶고 총선을 대비한 '33인 민족 대표단'을 결성합시다. 모든 국민이 처음 하는 선거요, 투표이므로 뭐가 뭔지 잘 모르고 있습니다. 첫째, 모든 유권자가 선거인 등록을 하도록 계몽해야겠고 특히 김구, 김규식 같은 좌우합작파들이 선거 참여는 반민족 죄악인 것처럼 선전하고 있으므로 그들의 주장을 무력화시켜야 합니다.

둘째로는 총선을 반대하는 좌익과 중도파, 우익 이탈파 등은 온갖 방법으로 선거를 파탄시키려 들 것입니다. 좌익은 폭력으로, 중도파들은 정치 공세로 투쟁해 올 것입니다. 특히 좌익은 지금까지의 행태로 보아 선거 당일까지 극렬하게 테러를 가할 것으로 보입니다. 우리가 나서서 총선을 보호해야 합니다. 셋째로 우익 진영 인사들의 후보 난립과 경쟁이 치열해지면 반대 세력의 위장 무소속 후보들에게만 유리하게 될 테니 그 대책도 세워야 합니다."

이승만의 말이었다. 국내 정치 지도자 중 민주주의 보통선거가 뭔지, 그걸 경험하고 잘 아는 지도자는 이승만밖에 없었다. 우익 진영은 그의 주장대로 하나로 뭉쳐 총선에 대비하고 활동을 개시했다. 좌익과 중도파, 그리고 김구, 김규식 등 남북 협상파들이 총선 반대를 강력히 주장했는데도 4월 9일까지 등록한 유권자는 전체 법정 유권자의 91.7퍼센트인 806만 5천 798명이었다. 이처럼 90퍼센트 이상의 유권자가 등록했다는 것은 대다수 국민의 건국 새 정부에 대한 기대가 얼마나 컸는지 증명하고도 남는다.

우익 '33인 대표단'에서는 선거 반대 세력들의 테러에 대비하고 선거를 보호하기 위한 '향토 보위단鄕土保衛團. 향보단'을 만들기로 했다. 경찰력이 태부족인 데다가 경찰에 대한 일반 국민의 시선이 좋지 않았기 때문에 거부감이 있었다. 아직 경찰 조직 내에는 친일 경찰들이 남아 있기 때문이었다. 향보단은 전국 지방별로 자기 고향과 마을은 자기들 스스로 지키게 한다는 자율 치안대로 조직되어 선거를 감시 보호하게 했다. 입후보자 등록 마감일이 가까워지자 후보자 등록이 속속 이루어지고 있었다. 이승만은 주변의 권유에도 입후보를 사양했다.

"내 할 일은 새 정부 수립을 위한 총선거 시행으로

끝이 났습니다. 나라를 잃고 독립을 되찾기 위해 나는 망명객이 되어 유리 방랑을 하고 꿈에도 소원이 조국 광복이었소이다. 내 한 평생은 그 한 가지 목표로 산 삶이었습니다. 그 목표와 목적이 눈앞에 이루어졌는데 예서 뭘 더 바라겠소? 조용히 물러나 신생 조국의 발전을 지켜보며 유유자적 쉬며 살고 싶습니다.”

그는 진심으로 말했다. 그러나 주변의 권유는 거의 강권이었다.

“공산주의라는 먹구름이 몰려오고 있는 이때 국민은 아무것도 모르는 신생아로, 투표가 뭔지도 모르며 민주주의 선거에 나서고 있습니다. 여기서 할 일 다 하셨다고 물러나신다면 무책임하시다고 원망을 받습니다. 조국 해방으로 끝난 것이 아니라 이 민족의 장래는 지금부터입니다. 민족을 구령□슈할 선장이 필요합니다. 아니면 배는 산으로 가고 말 것입니다. 후보 등록을 하시고 신생 조국을 위해 선장역을 하셔야 합니다.”

훗날 국민이 무책임했다고 원망할지도 모른다는

말에 이승만은 더 심사숙고한 후에 거취를 결정하겠다고 했다. 등록 마감일이 가까워질 때에야 동대문 갑구 출마를 승낙하게 되었고, 유권자 4천 명의 추천을 받아 후보 등록을 마쳤다.

동대문 갑에 출마한 이승만은 워낙 거물이라 그에 맞서 경쟁을 자원할 만한 후보자가 없을 테니 무투표 당선이 틀림없다고 모두 말하고 있었다. 그러나 뜻밖의 복병이 나타났다. 미 군정 경무부 수사국장 출신이라는 최능진崔能鎭 후보였다. 그가 이승만과 경쟁 상대로 나선 것이었다.

최능진이 후보 등록을 마쳤다는 소식이 신문 지상을 통하여 전해지자 이승만 진영은 한편으론 놀라고 한편으론 경계심을 높였다. 최능진은 미국 유학파였고 흥사단 출신이었으며 미국에 있을 때부터 반 이승만 라인인 '재미 한족 연합회'에서 활동하던 인물이었다. 최능진은 미군이 진주할 때 함께 국내에 들어왔고 하지의 신임을 받아 미 군정의 수사국장이란 요직을 맡아 대對 정치인 사찰査察을 전담하던 수사 요원이었다.

하지는 우익이든 좌익이든 중도든 임정파든 공산당이든 남한 내의 모든 정당, 사회단체의 정치 활동은 자유방임주의로 대했기 때문에 최능진의 정치 사찰 범위는 아주 넓기만 했었다. 그러자 하지가 이승만과 김구의 제거를 우선하고 중도파인 김규식과 좌파의 여운형을 지도자로 내세워 좌우합작 정부 구성을 적극 지원하기 시작한 뒤부터 최능진은 이승만과 김구에 대한 정치 사찰로 범위를 좁혔었다.

"틀림없습니다. 이건 하지의 마지막 이 박사님 제거 카드입니다."

윤치영은 아예 단정적으로 말했다. 해방 정국 초기부터 이승만에 대한 하지의 견제는 노골적이었다. 개인적인 원한 때문에 이승만을 싫어한 건 아니었다. 그는 미 국무성 고위 관리들의 지시를 받으며 군정을 이끌어가고 있었다. 그 고위 관리들인 앨가 히스Hiss 특별정치국장이나 존 빈센트Vincent 극동 정치국장 등 일련의 관리들이 모두 친소파이거나 공산주의 동조자들이 대부분이었다.

이들 중 훗날 히스와 빈센트를 비롯하여 헬도어

헨슨, 존 서비스, 올리버 클럽 등은 공산주의자 혹은 소련 간첩으로 처벌받은 관리들이었다. 이들이 대한對韓 미 군정 정책을 좌지우지하고 있었기 때문에 반소·반공주의자이며 민족주의자였던 이승만을 좋아할 리가 없었다. 제2차 세계대전 중에도 이승만의 독립 청원을 사사건건 거부하고 해방되어 귀국을 서두를 때도 비자를 내주지 않고 애를 먹였던 자들도 그들이었다.

그들의 지시를 미국 정부의 지시로 알고 하지는 충실히 따랐던 것이다. 그러다 보니 반 이승만주의자가 되었던 것이다. 이승만 측근들의 추정에 의하면 이번 최능진의 후보 등록도 국무성 관리들의 입김이 하지에게 닿아서 이승만 제거를 위한 마지막 전술이라는 것이었다.

"어떡할까요?"

측근들의 물음에 이승만은 담담하게 말했다.

"민주 선거는 누구에게나 균등한 기회가 주어지는 것이다. 경쟁하여 선출받는 것 아니냐? 당당하게 그의 도전을 받아야 한다. 그리고 당당하게 싸워

이기는 거야."

"하지만 대중에게 그가 박사님과 대등한 인물인 것처럼 보이는 건 박사님에 대한 모욕입니다. 박사님의 권위와 위상에 금이 갑니다. 어떤 수를 쓰든 선거 활동의 원천 봉쇄를 해서 후보 사퇴를 받아내야 합니다."

"행여 그런 소리 말아! 그냥 둬도 이길 수 있는데 왜 엉뚱한 생각을 하는가. 가만두란 말이야!"

이승만은 선거 캠프의 측근들에게 엄명을 내렸다. 그러나 사고는 일어나고 말았다. 등록 마감일이 다가오자 이승만 캠프에서는 비상 회의 끝에 최능진의 후보 등록을 저지하자는 쪽으로 결론을 내리고 입후보에 필요한 200명 추천인 서명조차 받을 수 없도록 주민에게 캠페인을 벌였다.

이건 이승만 모르게 벌인 측근들의 과잉 충성 캠페인이었다. 최능진은 겨우 필요한 추천인 수를 확보하고 후보 등록을 마쳤다. 하지만 경찰의 내사를 받고 선거법 위반으로 후보 등록이 취소되었다. 추천인 서명을 받을 수 없도록 이승만 쪽에서 공작을 꾸미고 있어 마감 시간을 지킬 수 없다 하자 군정청에서는 선관위에 지시하여 최능진을 위해서 5일간 마감일을 연장해주었다.

최능진은 가까스로 법정 추천인 수를 맞춰 등록을 끝냈다. 그런데 경찰 내사 결과 추천인 일부 명단이 타인 명의를 도용하고 인장을 위조하는 등 불법이 드러나 등록 자체가 취소되었던 것이다. 그래서 동대문 갑구는 이승만 단독 출마 구가 되었다.

이리하여 5·10 총선거 총 출마자는 무소속 366명을 포함하여 942명의 후보가 등록을 마치고 선거운동에 들어갔다. 총선거 운동 기간 동안 전국 경찰이 비상 사태에 들어가고 향보단들이 각 직장과 마을을 지켰지만, 남로당 등 좌익 계열의 선거 방해 테러가 극성을 부려 총선의 성공을 위협했다.

드디어 우리나라, 우리 민족 최초의 총선거 날이 되었다. 역사적인 5·10 총선은 유엔 감시하에 실행되었다. 투표 날 아침까지도 이승만은 대국민 방송을 하였다.

"우리가 해방 이후, 우리 민족 원칙에 의하여 우리 국권 회복을 위하여 노력한 결과로서 오늘 세계

우방의 주시 속에 총선거를 실행하게 된 것은 과거 우리나라의 독립을 위하여 싸운 사람들과 함께 다 같이 기뻐해 마지않습니다. 민족의 운명이 귀중한 내 한 표에 있는 만큼 어떠한 모략에도 동요하지 말고 투표로 독립을 찾읍시다."

한편 총선 당일 그리고 개표가 끝날 때까지 전국에서 산발적으로 일어난 선거 반대 방해 테러 숫자는 엄청났다. 선거 사무소 습격이 134건이었고, 관공서 습격 사건이 301건, 경찰서 방화 16개소, 양민 가옥 방화 69건, 도로·교량 파괴 48건, 기관차 파괴 91건, 객차 화물차 파괴 11건, 철로 파괴 65건, 전선주 파괴 543건, 선거 서류 탈취 사건 116건, 각종 테러 612건이 일어나 사망 및 부상자가 846명이나 발생했다.

피로 얼룩진 선거였다. 하지만 투표는 무사히 끝났고 4·3사태로 제주도 2개 선거구만 제외된 채 1만 3천여 개표소에서 개표가 끝났다. 총 942명의 후보자 중 198명이 당선되었다. 북한에 있는 선거구 200석에 대한 총선은 유보되고 남겨둔 채였다.

〈당선자〉

무투표 당선자 : 이승만 외 12명

무소속　　　 :　65명

대한독촉　　 :　53명

한국민주당　 :　29명

대동청년단　 :　14명

족청계　　　 :　6명

기타 단체　　 :　11명　　　 총 198명

　드디어 우리 역사상 최초로 세워진 민의의 전당인 '제헌 국회制憲國會'가 1948년 5월 31일, 198명의 신임 국회의원들이 모인 가운데 제1차 회의를 열게 되었다. 아직 의사당 건물이 없어 구 총독부 건물이었던 중앙청 메인 홀에서 회의를 하게 되었다.

　국회는 먼저 국회의장단 선출을 위해 사회를 볼 수 있는 임시 의장을 선출하기로 했다. 임시 의장은 연장자 원칙에 따라 가장 나이가 많았던 74세의 이승만이 총회의 지명을 받았다. 머리에 하얗게 서리가 내린 노老애국자 이승만은 의장석에 우레 같은 박수를 받으며 등단했다.

이승만은 목이 메는지 잠시 뜸을 들이다가 입을 열었다.

"모두 기립해주십시오. 우리는 오늘 이 자리에서 대한민국 독립 민주 국회 제1차 회의를 열게 된 것을 하나님께 감사해야 할 것입니다. 오늘을 정한 것은 사람의 힘으로만 된 것이라고 우리가 자랑할 수는 없습니다. 그러므로 하나님께 감사를 드릴 것을 제안합니다. 이의 없으시다면 북조선 조선민주당을 대표하는 목사 이윤영 의원님께 감사기도를 부탁하는 바입니다."

그러자 이윤영 의원이 등단하여 감사기도를 올렸다.

"고맙습니다. 모두 착석해주십시오. 이어서 국회 임시 준칙을 축조 토의하고 원院 구성을 위한 정·부의장正·副議長을 선출하겠습니다. 이의 있으십니까?"

이의가 없어 준칙을 축조 토의하고 곧바로 정·부의장 2인을 선출하는 무기명 비밀투표에 들어갔다.

투표 결과 이승만 의원은 재석 198명 중 188표의 압도적 다수표로 국회의장에 당선되었다. 그리고 국회 부의장 선거에서는 116표를 얻은 신익희 의원과 101표를 얻은 김동성 의원이 당선되었다.

이날 오후 2시.

초대 국회의장에 당선된 이승만 의장은 의사당 안에서 국회 개원식을 열고 의장 당선 인사말을 했다.

"우리는 민족의 공선公選에 의하여 신성한 사명을 띠고 국회의원 자격으로 이에 모여 우리의 직무와 권위를 행할 것입니다. 먼저 헌법을 제정하고 대한 독립 민주 정부를 재건설하여야 할 것입니다. 1919년 기미년 3월 1일에 우리 13도 대표들이 서울에 모여서 국민대회를 열고 대한 독립 민주국임을 세계에 공포하고, 임시정부를 건설하여 민주주의 기초를 세운 것입니다. 우리 이북 5도 동포가 다 같이 선거에 참여하여 대표를 선출하였다면 우리와 같이 의회에 참석하였을 터인데 민족 분단으로 선거에 불참한 것을 우리는 극히 통분히 여기는 바입니다. 미 주둔군은 우리 국방군이 건설될 때까지 머물러줄 것입니다. 지금 대한민국의 안위와 3천만 민족의 행복은 모두 우리 개인의 손에 달렸습니다. 우리가 잘못하면 우리가 당하고 우리가 잘하면 희망도 우리가 가질 것이며 잘만 하면 모든 복리가 날로 증진될 것입니다. 그리고 세계 전우들이 극력 동정하여 후원하리니 일반 국회의원들은 나와 함께 긍긍율률兢兢慄慄 하는 성심, 성력과 애국, 애족의 순결한 지조로 기미년 국민 대의원들의 결사 혈투한 정신을 본받아 최후 1인까지 최후 일각까지 분투하여 나갈 것을 우리가 3천만 동포 앞에서 진심으로 맹세합니다.”

　이승만은 인사말을 마치고 의원 선서를 하겠다고 선포했다.

　“모두 자랑스러운 태극기를 우러러보시고 국회의원 선서를 하겠습니다. 오른손을 올리시고 나의 선창에 따라 복창하시기 바랍니다.”

　나는 빛나는 역사적 조국 재건과 독립 완수의 중책 임을 다하기 위하여 먼저 헌법의 제정으로 대한민국

정부를 수립하고 남북통일의 대업을 수행하여 국가 만년의 기초 수립과 국리민복을 도모하기 위하여 공헌함에 최대의 충성과 노력을 다하기로 이에 하나님과 순국선열과 3천만 동포 앞에서 삼가 선서함.

이어서 미군 군정 사령관 존 하지 중장의 기념사 순서를 마지막으로 신생 대한민국의 국회 개원식은 뜻깊은 국가 장래의 문을 활짝 열었다.

다음은 신생국가의 초석이 되는 헌법 제정이었다. 6월 2일 국회 제3차 본회의에서는 헌법 제정을 위한 도별 전형 위원 선출 및 헌법 기초 위원 30인이 선정되었다. 그리하여 헌법 기초 위원장으로 서상일 徐相一을 선출하고 유진오, 권승렬, 한근조, 윤길중 등 10인을 기초위 전문위원으로 위촉하였다. 유진오의 헌법 초안은 내각책임제를 정부 조직의 골격으로 하고 있었다. 비서 임영신이 급하게 이승만을 찾았다.
"이틀 후 내각책임제 초안을 기초 위원회에서 통과시키기로 했답니다."

"서상일 위원장에게 신생 정부에 있어서 내각제는 약하니 미국식 대통령 중심제로 해보라고 알아듣게 말했고 그 사람도 수긍했었는데 내각제라니?"

"한민당 당론이고 기타 여러 사람도 내각제를 선호하여 그리되었답니다."

"내각제가 아니면 한민당에서 정국을 마음대로 요리할 수 없다고 보는 거지."

"혹시 박사님이 대통령 중심제 대통령이 되시면 혼자 정권을 좌지우지하고 독재를 하여 자기들은 권력에서 쫓겨나 시녀 노릇이나 할 것으로 생각하는 게 아닐까요?"

"그렇게 생각할 수도 있겠지. 임 비서, 허정 씨를 돈암장으로 부르게."

통과를 막아보려고 허정을 불러 내각제를 대통령제로 바꿔야 한다며 그 타당성을 설유했지만 내각제 초안은 기초 위원회에서 통과되고 말았다. 서상일 위원장은 국회의장인 이승만에게 그 사실을 보고하기 위해 의장실로 찾아왔다.

"수고가 많았소. 하지만 난 의장 직권으로 기초위

에서 통과시킨 내각제에는 결재할 수 없소."

"의장님, 왜 이러십니까? 내각제가 중론입니다."

"몰라서 하는 소립니다. 내각제 해보세요? 누구 말도 먹혀들지 않고 문제가 발생하면 책임질 사람이 없습니다. 대통령은 허수아비이고 총리가 모든 국권을 행사하지만, 총리라는 직책 때문에 한계가 있습니다. 특히 신생 국가에서는 할 일이 태산입니다. 확실한 리더인 대통령이 권력을 가져야 국정이 제대로, 그리고 속히 이루어집니다. 모든 책임 역시 대통령이 지기 때문에 최선을 다할 수밖에 없습니다. 혹자는, 이승만이는 대통령병 병자라 한답니다. 삼일운동 이후 한성 임시정부가 세워지고 날 집정관 총재에 앉혔는데 내가 미국에서 활동할 때 그 직책을 'Chief Executive'라 번역해 사용해도 되는 걸 대통령이란 'President'란 말로 사용했다고 반대파에서 날 대통령병 병자라 했고 상해 임정 초대 대통령 받을 때도 임정의 내각제에서는 대통령 하기 싫다 하여 어쩔 수 없이 대통령제로 바꾼 전력도 있는데 이번에 또 대통령제 타령이니 대통령 되고 싶은 병이 들기는 단단히 든 늙은이라 한답니다. 그래서 그런 건 아니오. 당시 국제 외교를 하는데 임시정부 총리 이름으로 하는 것과 대통령 이름으로 하는 것은 그 격이 다를 뿐 아니라 상대국에서의 대한민국임시정부 권위에 대한 인정이 완전히 달라지기 때문에 대통령제로 해야 한다고 주장했던 것입니다. 난 대통령 됐다고 독재를 한 것이 아니라 파당이 없어서 권좌를 노리고 있던 사람들한테 탄핵을 받아 쫓겨난 사람이오. 나 내쫓고 나서 다시 내각제로 환원했소. 그럼 잘 됐어야지. 안 되니까 국무령제로 바꾸었소. 다시 얘기하자면 이번에도 내가 대통령 되고 싶어 대통령제로 바꾸자는 거 아니외다. 나 말고도 대통령 할 사람 많습니다. 처음 말씀대로 새로 태어난 대한민국은 대통령이 강력한 지도력을 발휘할 수 있는 대통령 중심제를 택해야 합니다. 그리고 누가 되든 대통령은 당파를 초월하기 위해 무소속이 되어야 합니다. 그래야 독재를 막을 수 있습니다."

이승만의 대통령 중심제에 관한 주장이 워낙 확고하다는 걸 안 위원장 서상일은 돌아가서 기초

위원들과 다시 장시간 회의를 했다. 회의 결과는 대통령 중심제로 하되 국무총리를 두는 내각제를 절충하여 다시 헌법을 손질하기로 했다. 그 수정안은 6월 23일, 제17회 국회에서 국무총리를 두는 절충식 대통령 중심제 헌법 초안으로 상정되었다. 7월 7일, 신생 헌법 전문이 국회 본회의에서 통과되었다. 그리고 7월 14일에는 정부조직법 12부部 4처處 원안이 국회 본회의에 상정되어 이틀 만에 통과 되었다.

마침내 1948년 7월 17일, 오전 10시 17분.

신생 대한민국의 골격과 초석이 된 헌법의 공포식이 국회의사당에서 거행되었다. 이 자리에는 제헌 의원 전원과 유엔 한국위원단 그리고 미군정청 수뇌부가 모두 참석하여 축하했다. 국회의장 이승만은 상기된 표정과 특유의 떨리는 목소리로 대한민국 민주공화국 헌법을 당당하게 공포하였다.

"이 헌법이 우리 국민의 완전한 국법임을 세계에 선포합니다. 지금부터 우리 전 민족이 평등과 자유의 평화적 복리를 누릴 것을 이 헌법이 담보하는 것이니 이 헌법을 중히 여기며 모든 동포가 각각 마음으로 맹세하여 잊지 말기를 부탁합니다. 이때에 우리가 한 번 더 이북 동포에게 눈물로써 고하고자 하는 바는 아무리 아프고 쓰라려도 좀 인내해서 하루바삐 기회를 잡아 남북이 같은 공작으로 이 헌법의 보호를 받으며 이 헌법에 대한 직책을 다 같이 분담해서 자유 활동에 부강전진을 같이 누리게 되기를 바라는 바입니다."

단기 4281년(1948년) 7월 17일
대한민국 국회의장 이승만

공포가 끝나자 오세창 의원의 대한민국 만세 삼창으로 끝이 났다.

9. 건국 초대 대통령 이승만

1948년 7월 20일.

국회는 대한민국 초대 정·부통령을 선출하기 위해 제33차 본회의를 열었다. 오전 10시 정각이 되자 196명의 제헌 국회의원이 참석하여 국회의장 이승만은 성원이 되었음을 선포했다. 이승만은 개회 선포만 하고 의장석을 부의장 김동성 의원에게 넘겨 주고 내려왔다.

이승만은 대다수의 의원에 의해 대통령 후보로

지명을 받았기 때문에 사회를 보지 못하고 부의장에게 물려주었던 것이다. 그는 의장실로 돌아와 선거의 귀추를 기다렸다. 국회의사당에서는 백관수, 김도연, 주기용, 신성균, 이종린 등 5명의 의원이 감표위원으로 뽑혀 10시 20분부터 11시 5분까지 무기명 비밀투표가 진행되었다.

투표가 끝나자 전규홍 국회 사무총장이 개표위원들과 함께 투표함을 열고 개표를 시작했다. 투표용지를 꺼내어 한 표 한 표 개봉하는 식이었다. 196표였기 때문에 개표는 금방 끝났다. 이윽고 전규홍 총장이 개표 결과를 발표했다.

"대한민국 초대 대통령 선출을 위한 제헌의원 무기명 비밀투표가 무사히 마감되어 그 개표 결과를 발표하겠습니다. 재석 196명 중 이승만 후보 180표, 김구 13표, 안재홍 2표, 서재필 1표 순입니다. 선거 결과 정식 발표는 김동석 부의장께서 해주시겠습니다."

총장이 하단하자 사회를 맡은 김동성 부의장이 등단하여 정식으로 발표했다.

"들으신 바와 같이 재석 196명 중 이승만 180표,

김구 13표, 안재홍 2표, 서재필 1표를 획득한바 이승만 후보가 압도적인 180표로 대한민국 초대 대통령에 당선되었음을 선포하는 바입니다. 대통령 당선자를 모셔오십시오."

선포와 동시에 신익희 부의장이 의장실로 가서 이승만에게 결과를 보고했다.

"압도적인 다수표를 얻으셔서 대통령에 당선되셨습니다. 진심으로 축하합니다."

"고맙소."

이승만은 만면에 미소를 띠며 신 부의장의 손을 잡았다.

"모두 기다리고 있습니다. 가시죠."

이윽고 이승만은 신 부의장을 따라 본회의장으로 들어갔다. 의원 전원이 기립한 채 환호와 박수로 74세의 노익장 이승만을 맞이했다. 계속되던 박수 소리가 잦아들자 이승만은 연단에 올라서서 감격스러운 당선 소감을 피력했다.

국회의원 여러분이 대통령이라는 영광스러운 이름으로

나에게 투표해주신 것을 나로서는 감격하여 마지않습니다. 어떻다고 표현해야 좋을지 여러분에게 감사하다는 말씀 드릴 뿐입니다. 그러나 이 사람은 대통령이라는 것을 지금까지 생각하지 못했습니다. 당초에 총선거를 주장한 이 사람을 두고 대통령이 되고 싶어 총선거를 주장한다는 그런 이야기가 있었습니다. 여러분께서 나 이승만이를 대통령 후보로 나옵시사, 할 때에 승낙한다면 마치 나를 대통령으로 해주십사, 하는 말 같아서 말하지 않고 지나온 것입니다. (中略)

이 사람이 국회의장의 이름을 가졌든지 또는 대통령의 이름을 가졌든지 간에 여러분이 이 국회 안에서 절대로 지지해주셔야 할 것입니다. 민족 전체가 무엇이 있든지 간에 다 장애를 배제하고 한 덩어리가 되어서 우리 정부를 세워나가면 앞으로 우리 민족의 영광은 세계에 빛날 것으로 확실히 믿습니다. 여러분! 다시 한번 이 사람에게 중요한 책임을 맡겨주신 것을 감사히 생각하며 여러분의 뜻으로 진행하려 합니다.

연설이 끝나자 기립한 국회의원 전원은 만세 삼창

으로 건국 대통령 당선을 축하하였다. 이어서 오후 2시에는 부통령 선거가 있었다. 196표 중 133표를 얻은 이시영李始榮이 과반수 표를 얻어 부통령으로 선출되었다. 이로써 건국 대통령과 부통령이 탄생하게 되었다.

7월 24일 새벽, 오전 5시.

자택 침실에서 일어난 이승만 내외는 깨끗이 얼굴과 손발을 씻고 여느 때처럼 새벽기도를 시작했다. 이 새벽기도는 이승만이 미국 망명 생활하던 때부터 결혼 이후까지, 그리고 대통령 재임 기간, 아니 하와이에서 외롭게 눈을 감을 때까지 한 번도 쉬어보지 않은 생활의 일부였다.

일어나면 먼저 성경을 읽고 기도를 드렸다.

"화니! 준비됐지요?"

"네."

"오늘은 나와 당신의 생애 중 가장 영광스럽고 기쁜 날이오. 건국 대통령 취임식이 있는 날이잖소?"

"너무도 기뻐서 잠을 이루지 못했어요. 다시 한번

축하해요. 장하세요."

"자, 성경 말씀을 펼쳐요. 오늘은 시편 23편을 읽읍시다. 한 절씩 교독交讀합시다."

여호와는 나의 목자시니 내게 부족함이 없으리로다.

그가 나를 푸른 풀밭에 누이시며 쉴 만한 물가로 인도하시는 도다.

자신의 영혼을 소생시키시고 자기의 이름을 위하여

의의 길로 인도하시는 도다.

내가 사망의 음침한 골짜기로 다닐지라도

해害를 두려워하지 않을 것은 주께서 나와 함께 하심이라.

주의 지팡이와 막대기가 나를 안위하시나이다.

주에서 원수의 목전目前에서 내게 상床을 베풀어 주시고 기름으로 내 머리에 바르셨으니 내 잔이 넘치나이다.

내 평생에 선하심과 인자하심이 정녕 나를 따르리니 내가 여호와의 집에 영원히 살리로다.

(시:23편1-6)

성경을 읽고 나자 이승만은 대통령을 만들어준 조국과 국민의 이름으로 하나님께 감사기도를 올렸다. 그리고 새로 태어난 대한민국의 장래에 영광의 역사만 있게 해달라고 소원의 기도를 올렸다.

기도가 끝나고 아침 7시가 되자 비서들과 보좌관들이 출근했다. 측근들과 아침 식사를 한 뒤 오늘 행사에 대한 회의를 했다. 마지막으로 손수 준비한 대통령 취임사를 다시 한번 검토하고 9시쯤 나섰다.

취임식장은 중앙청 광장이었다. 식장은 이미 만원이었다. 서울 시민을 비롯하여 지방에서 올라온 사람들까지 모여서 식이 시작되기를 기다리고 있었다. 단상에는 국내 각계의 원로들과 정치 지도자, 명사들 그리고 군정청의 미군 장성 간부들이 앉아 있었고 이승만 대통령이 식장으로 들어오자 식장은 박수 소리와 환호성으로 뒤덮였다.

건국 대통령과 부통령의 취임식이 신익희 국회 부의장 사회로 거행되었다.

"3천만이 잃었던 조국과 민족을 다시 찾아 일생을 조국광복에 몸을 바치신 이승만 박사와 이시영 선생을

정·부통령으로 모시게 된 것은 우리가 정히 그 책임자를 얻었으므로 이 감격이야말로 천추에 잊지 못할 것입니다. 그러면 식순에 따라 신임 대통령의 대통령 선서가 있겠습니다."

이승만이 단 위에 올라서서 선서문을 들고 큰 소리로 대통령 선서를 했다.

나 이승만은 국헌을 준수하며 국민의 복리를 증진하며 국가를 보위하며 대통령의 직무를 성실히 수행할 것을 국민과 하나님 앞에 엄숙히 선서합니다.

대한민국 30년(1948년) 7월 24일
대한민국 대통령 이승만

선서가 끝나자 취임 연설이 시작되었다.

"여러 번 죽었던 이 몸이 하나님의 은혜와 동포의 애호로 지금까지 살아 있다가 오늘에 이처럼 영광스러운 추대를 받으니, 나로서는 일변 감격한 마음과 일변 감당키 어려운 책임을 지고 두려운 생각을 금하기 어렵습니다. 기쁨이 극하면 눈물이 된다는 것은 글에서 보고 말을 들었던 것입니다. 요사이 아주 친애하는 남녀 동포가 모두 눈물을 금하기 어렵다 합니다. 나는 본래 나의 감상으로 남에게 촉각된 말을 하지 않기로 매양 힘쓰는 사람입니다. 그러나 목석 간장肝腸이 아닌 만큼 뼈에 맺히는 눈물 금하기 어렵습니다. 이것은 다름 아니라 40년 전에 잃었던 나라를 되찾은 것이오, 죽었던 민족이 다시 사는 것이 오늘에야 표명되는 까닭입니다. (中略) 우리가 정부를 조직하는 데 제일 중요한 문제는 두 가지가 있습니다. 첫째는 일할 수 있는 정부를 만들 것입니다. 둘째로는 이 정부가 견고해서 흔들리지 않게 해야 할 것입니다. 사람의 사회적 명망이나 정당 단체의 세력이나 또 개인 사정상 관계로 나를 다 초월하고 오직 기능 있는 일꾼들이 함께 모여 앉아서 국회에서 정하는 민의대로 준행해 나가는 정부가 되어야 할 것이니 우리는 그런 분들을 물색하는 중입니다. (中略) 우리는 전국 국회의원의 3분의 1을 점하는 북한 출신 국회의원이 참석하는 날을 희망과 결의를 새롭게 하며 기다리고 있습니다. 38도선의 국토 분할은 우리가 한 것이 아닙니다. 국토 통일을 위하여 문호를 개방하고 모든 노력을 하지 않으면 안 됩니다. 한국 해협이 남단의 국경인 것처럼 북단의 국경은 백두산입니다. 만에 하나 끝까지 깨닫지 못하고 분열을 주장해서 남의 괴뢰가 되기를 원한다면 인심이 절대 방임하지 않을 것입니다. 우리는 세계의 모든 나라와 다 친선해서 평화를 증진하며 외교 통상에 균등한 이익을 같이 누리기를 절대 도모할 것입니다. (中略) 새 나라를 건설하는 데는 새로운 헌법과 새로운 정부가 다 필요하지만 새로운 백성이 아니고는 결코 될 수 없습니다. 날로 새로운 정신과 새로운 행동으로 구습을 버리고 새길을 찾아서 분발 전진하여 지난 40년 동안 잃어버린 세월을 다시 회복하고 세계 문명국과 경쟁할 것입니다. 나의 사랑하는 3천만 남녀는 이날부터 더욱 분투용진해서 날로 새로운 백성을 이룸으로써 국가를 만년 반석 위에 세우기를 결심하기 바랍니다."

대통령 취임식이 끝나자 정부 수립을 위한 초대 내각의 각료를 뽑아야 하는 일이 시급한 과제였다. 정부조직법상 12부 2처의 장관들이 들어서야 했다. 이승만은 사저인 이화장에 조각 본부를 두고 인선에 들어갔다. 문제는 각료 중에서 가장 비중이 큰 국무총리는 누가 되어야 하느냐 하는 것이었다.

자천 타천으로 총리 하마평에 오른 인물들은 김성수, 신익희, 조소앙, 이범석 등이었다. 〈동아일보〉 사설은 국회 개원과 이승만의 대통령 선출에 한민당의 공이 가장 컸으며 그 뒤에는 당수인 김성수가 있었다고 쓰고 대통령 중심제의 단점은 권력 집중으로 말미암은 대통령의 독재인데 그걸 제어할 수 있는 자리는 국무총리이고 강력한 총리가 들어서야만 민주 정부가 될 수 있다는 주장을 내세웠다. 따라서 총리는 김성수라는 것이었다.

한민당은 애초부터 친 이승만 세력이었다. 그런데 5·10 총선에서 한민당은 만족하지 못할 만큼 적은 의석을 차지했다. 이것은 선거 전략의 실패 때문이었다. 친일파 빼고 공산당 빼고 후보등록 예상자를 보니 한민당계 독판으로 보였다. 200 의석에 후보 등록자는 942명이었으니 약 5:1의 경쟁률이었다.

소경 제 닭 잡아먹기처럼 되었다. 같은 당 후보끼리 치열하게 싸우게 된 것이다. 무소속이 많았던 것은 그런 현상이 올 줄 알고 가지고 있던 정당 간판들을 버리고 무소속으로 뛰었던 것이다. 942명 등록 후보 중 무소속은 무려 366명이었고 당선자 수도 무소속이 가장 많이 내게 되었다. 무소속이 85명 당선되었고 이승만계인 대한독촉이 53명, 한민당 29명, 대동청년단 14명, 족청계 6명, 기타 단체 11명 순이었다. 그런데 한민당이 다수당으로 자처한 것을 보면 무소속 쪽에서 끌어들인 지지 의원이 많아진 듯하였다. 여하튼 이승만은 한민당의 은근한 압력에 짐스러움을 느끼고 있었다.

"각하는 정당이 없지 않습니까? 하지만 제대로 된 정당은 조직이나 자금이나 다 갖춘 한민당이 유일합니다. 이들 세력을 안고 가셔야 원활한 국정 운영을 하실 수 있습니다. 물리치시면 우당友黨이 반당伴黨이 됩니다. 사사건건 물고 늘어지면 골치 아프지 않겠습니까? 저들의 요구대로 인촌仁村. 김성수을 총리로 인준해주십시오."

서상일과 김준연이 이화장으로 이승만을 찾아와 심도 있게 건의했다.

"심사숙고해보겠소. 그러나 너무 편파적으로 생각진 마시오. 내 소신은 거국내각擧國內閣입니다."

국무총리는 대통령이 임명하지만, 국회의 인준이 필요했다. 그런데 이승만이 장고 끝에 임명한 총리 후보자는 가장 가능성이 확실히 점쳐지던 김성수 대신에 뜻밖의 인물이 발탁되었다. 개신교 목사이며 서북지방인 평양에서 결성된 '조선 민주당'의 부당수인 이윤영이었다. 당수는 조만식이었다. 조만식은 소련군에 의해 가택연금 상태가 되었다가 남쪽으로 내려오지 못하고 말았다.

7월 27일, 제35차 국회 본회의 의제는 이승만의 국회의장 퇴임 건과 국무총리 인준의 건이었다. 이승만은 의아해하는 모든 의원 앞에서 이윤영을 지명한 이유를 설명했다. 그렇지 않아도 대통령제 에서는 모든 권력이 대통령에게 집중되는데 대통령은 정당에 소속되어 있지 않고 총리만 유력한 정당에서 나온다면 대통령의 소신대로 국정을 펴나갈 수가 없다.

그래서 모든 정파를 초월하는 거국내각을 구성하는 것이 좋겠다는 생각에 이윤영을 발탁한 것이다. 이윤영은 조국광복을 위해 헌신한 민족 지도자이며 북에 억류된 조만식을 대신하여 38도선 이북의 모든 정치인을 대표할 만한 인물이고 통일을 염원하는 상징성을 부여하기 위한 의미로 지명한 것임을 밝혔다.

인준은 곧 표결에 부쳐져 193명 중 가 59표, 부 132표, 기권 2표로 지명 부결되었다. 그러자 한민당과 김성수 당수의 반발이 거세어졌다. 왜 민의의 대세를 거스르고 있는가. 대통령의 조각 능력이 의심스럽다는 반응을 보였다. 순리대로 김성수를 총리로 임명하라는 것이 한민당의 주장이었다.

그러나 이승만은 제2차 총리 지명자로 이범석 李範奭을 임명했음을 국회에 통보했다. 이범석은 김좌진을 도와 청산리 전투를 승리로 이끈 무장으로

광복군사령관을 지내고 해방 후 귀국하여 민족
청년단族靑을 이끌고 있던 우익 청년운동 세력의
총수였다. 그런 이범석을 지명한 것도 의외가 아닐 수
없었다.

이범석은 재석 197명 중 가 110표, 부 84표, 무효
3표로 인준이 통과되었다. 그런 다음 국회는 8월 4일,
본회의에서 공석 중이던 의장에 부의장 신익희를
선출하고 부의장 자리에는 조선 공화당 출신의
김약수 의원을 선출했다. 김약수는 조선 공산당 창당
지도자였으나 1947년 이탈하여 조선 공화당을 조직,
국회의원이 되었다가 1949년, 국회 내 공산당 프락치
사건으로 구속 상태에 있다 6.25가 터지자 출옥하여
월북한 당사자였다.

그리고 국회는 제40차 본회의를 열고 김병로를
대법원장에 임명 인준을 끝냈다. 그런 다음 8월 4일
오후 1시 30분, 이화장에서는 대한민국 정부의 각부
조각 명단이 발표되었다.

대한민국 건국 초대 내각 명단

- 국무총리　　　: 이범석
- 내무부장관　　: 윤치영
- 외무부장관　　: 장택상
- 국방부장관　　: 이범석 겸임
- 재무부장관　　: 김도연
- 법무부장관　　: 이인
- 문교부장관　　: 안호상
- 농림부장관　　: 조봉암
- 상공부장관　　: 임영신
- 사회부장관　　: 전진한
- 교통부장관　　: 민희식
- 체신부장관　　: 윤석구
- 무임소장관　　: 이윤영
- 공보처장　　　: 김동성
- 법제처장　　　: 유진오
- 유엔총회 대표 : 장면

위와 같은 각료 명단이 발표되자 그에 대한 비판 여론이 일어났다. '약체내각'이다, '이 박사 비서내각'이라 평하는 여론도 있었다. 당시 일반 국민이나 정계에서는 신정부 초대 내각인 만큼 비중 있고 존경받는 인물들이 각료가 되어야 한다고 생각했는데 발표된 내용은 그 기대에 미치지 못했다는 것이었다.

다양한 정파의 인사들이 고루 기용된 것은 사실이지만 추후 이승만 정부는 정치적 부담을 안고 출발하게 되었다. 그것은 첫째 유력한 건국 정당이었던 한민당 세력을 철저히 배제하여 건국 세력 내부에 분열을 초래했다는 것이었다. 자신의 견제 세력이 될 것으로 판단하여 한민당을 소외시켰다 하여 한민당은 반 이승만으로 돌아서서 건국 초의 정치 안정에 저해 요인이 되었다.

게다가 중요 각료 임명은 부통령과 국무총리 등과 상의해야 함에도 이승만은 임명제청권은 오직 대통령에게만 있다며 상의 없이 단독으로 밀고 나간 것도 화근이었다. 독선적이며 독재적이라는 것이었다. 그러나 이승만은 그 같은 여론의 질타에 꺾이지 않았다. 고집이 있었다. 나도 다 생각이 있어 한 것이니 기다리면 잘했다 할 때가 올 것이라고 측근들에게 말했다.

한편 대한민국 정부 수립 선포식은 광복 3주년이 된 1948년 8월 15일 오전 11시, 중앙청 광장에서 거족적으로 거행되었다. 잃어버렸던 나라를 다시 찾은 기쁨으로 온 국민은 감격했고 우리 정부가 들어선다는 것은 꿈같았는데 그 꿈이 이루어졌던 것이다. 일제에 나라를 빼앗긴 지 38년 만의 쾌거였다. 영광의 대국민 축제를 축하하기 위해 중앙청 광장의 단상에는 많은 귀빈과 국빈들이 자리를 잡고 있었다. 하얀 머리를 휘날리는 대통령 이승만과 영부인 프란체스카가 중앙에 앉아 있었고 대통령 옆자리에는 동경에서 날아온 그의 영원한 친구 더글라스 맥아더 연합군 사령관이 앉아 만면에 웃음을 띠며 귓속말을 하고 있었다.

입법부에서는 신익희 의장, 행정부에서는 이시영 부통령과 이범석 국무총리, 그리고 사법부에서는 김병로 대법원장이 나와 있었고 이제 소임을 다하고

신생 정부에 전권을 이양하게 된 미 군정청 하지 사령
관과 미 군정 장관 등 고위층 다수와 각계를 대표하는
명사 원로들이 앉아 있었다. 광장에는 태극기를 손에
든 3천여 명의 시민이 이날을 경축하기 위해 모여서
발돋움하고 있었다. 이윽고 11시 정각이 되자 오세창
대회장이 연단으로 나와 개회사를 했다.

"오늘은 우리 민족의 최대 경사스런 날입니다. 삼천
만 동포 여러분과 내외 귀빈들을 모시고 신생 대한
민국 수립 선포식을 하게 된 것을 전 동포들과 함께
감사하는 바입니다. 더욱이 오늘 8·15를 맞이하여
우리 역사상 영원히 기념할 신생 정부 대한민국을
가지게 되니 우리의 감격이 이에 더할 바가 없으며
우리는 앞으로 민주주의 연합국과 긴밀히 연합하여
세계 평화에 기여할 것입니다."

식순에 따라 대통령 이승만의 기념사가 이어졌다.

"우리 대한민국 정부 수립 선포식은 우리의 해방을
기념하는 동시에 우리 대한민국이 새로 탄생하는
것을 겸하는 것이며 새로 건국된 대한민국의 정부가
실천해나갈 국정의 중점 사항 5가지를 천명하는 바입

니다. 첫째, 민주주의를 전적으로 모든 국민이 믿도록 할 것입니다. 민주 제도가 어렵기도 하고 더디기도 하지만 의로운 것이 종말에는 악을 이기는 이치를 우리는 믿어야 할 것입니다. 둘째는 민권과 개인의 자유를 보호할 것입니다. 정부는 항상 개인의 언론과 집회와 종교와 사상 등의 자유를 극력 보호하겠습니다. 셋째, 자유의 뜻을 바로 알도록 할 것입니다. 존중과 한도가 있으므로 그 안에서 행해야 한다는 것입니다. 넷째, 정부나 국민 상하가 서로 이해하고 협의해나가는 것이 관건이 되어야 합니다. 제일 필요한 것은, 이 정부는 국민이 국민을 위해서 국민의 손으로 세운 국민의 정부임을 깊이 각오해야 한다는 것입니다. 다섯째, 정부가 가장 전력을 다하려는 부분은 도시나 농촌에서 근로하며 고생하는 동포들의 생활 수준을 개량하고 높이는 것입니다. 지금부터는 양반 사상을 버리고 새 주의로 모든 사람의 균일한 기회와 권리를 주장하고 개인의 신분을 존중히 하며 노동을 우대하여 법률 앞에 다 동등으로 보호할 것입니다."

이승만 대통령의 기념사가 계속되는 순간에도 광장의 시민은 연달아 환호성과 박수를 보내어 화답했다. 이어서 맥아더 사령관의 축사가 이어졌다.

"정의의 힘이 전진하고 현대사의 승리를 맞고 있는 이때, 한반도에는 또 하나의 어두운 그림자가 드리우고 있습니다. 인위적인 장벽이 여러분의 국토를 양분하고 있는 것입니다. 여러분이 자유민주 국민으로서 장차 통일을 달성하는 데 그 어떤 세력도 장애가 되어서는 아니 된다고 생각합니다. 이 어려운 문제를 어떻게 현명하게 해결해가느냐에 따라 대한민국의 남북통일과 복지 국가로서의 민생 안정 및 아시아의 장래 평화도 달려 있습니다. 다시 한번 정부 탄생을 축하하며 전능하신 하나님이 여러분의 신성한 임무에 함께하시기를 기도합니다."

그가 연설을 끝내고 내려오자 이 대통령은 그를 힘있게 끌어안으며 고마워했다. 두 사람의 포옹을 보고 시민은 더욱 환호했다. 건국 새 정부 탄생을 일제로부터 해방되던 날보다 더 기뻐하며 모든 국민은 서로서로의 손을 굳게 잡으며 봉축奉祝했다.

대통령 집무 시작을 위해 경무대로 이 대통령 내외가 탄 승용차가 중앙청 식장을 떠나자 광화문 앞길에서 효자동까지 연도에는 수천 명의 시민이 몰려나와 태극기를 흔들며 대한민국 만세를 불렀다. 차창을 내린 대통령은 감격으로 눈시울을 붉히며 시민들에게 손을 흔들었다.

부 록

여기 책 후미에 싣는 글은 이승만 대통령의 영부인, 프란체스카의 자서自敍 기록이다. 하와이로 떠난 이 박사가 조국에 돌아가는 날만 애타게 기다리다 운명하게 되었다는 당시의 기록이다. 3·15 부정 선거의 책임을 지고 대통령직에서 하야한 때는 1960년 4월 26일이었다. 경무대를 떠난 노老대통령은 이화장으로 돌아갔는데 건강이 안 좋아졌다.

정신적으로 큰 타격을 입은 노인의 건강을 위해서는 전지요양이 꼭 필요하다는 의사의 진단이 있었다. 자의반, 타의 반 하와이로 요양지가 정해졌고 하와이 한인동지회韓人同志會 최백렬崔栢烈로부터 한 달 체류 예정의 여비와 체류비를 받고 1960년 5월 29일, 하와이로 떠나게 되었다. 한 달 정도 정양하면 곧장 귀국한다며 떠난 여행이 5년의 세월이 흘러갔고 그

5년 동안 이 대통령은 날마다 눈을 뜨면 "걸어서라도 가리라"며 서울로 돌아가기 위해 짐을 꾸리고 떠날 준비를 했지만 끝내 돌아가지 못하고 1965년 7월 19일에 쓸쓸히 눈을 감았다고 영부인은 회상하고 있다.

귀국에의 열망

프란체스카 도너 리 저著

'이승만 대통령의 건강'에서 발췌

하와이에 와서 보행마저 불편해진 대통령은 무척
이나 외롭고 쓸쓸했는데 아들 인수李仁秀. 1961년
양녕대군 종중에서 양자로 천거하여 入籍가 와서 얼마나 큰
힘이 되었는지 모른다. 객지에서 건강이 나빠진
고령의 노인이 아들을 곁에 두게 되자 많은 위로를
받았다. 특히 매일 인수가 예의를 갖추어 아침 문안을
드릴 때마다 몹시 기뻐하였다.

우리 세 식구는 아침 7시 반에 일어나고 8시 반에
식사를 했는데 식사 전에 대통령이 기도를 했다. 아침

식사는 과일주스 한 컵과 빵을 먹었다. 아침 식사가 끝나면 인수와 내가 번갈아 가며 성경과 신문을 읽어드렸는데 대통령은 인수가 읽으면 더 좋아했다. 내가 아침 설거지를 하면 대통령은 인수의 부축을 받으며 테라스로 나가 바깥 공기를 쐬었다.

10시 반이면 대통령의 운동 시간인데 부엌에서 약 10미터쯤 떨어진 마루방까지 10회를 왕복하는 일이었다. 이것은 의사의 권고에 따라 다리의 보행력을 유지하는 데 꼭 필요한 운동으로, 대통령은 인수의 부축을 받아가며 걸었다. 그동안 나는 세탁을 하고 아침 식사 준비를 했고 정오에는 점심을 먹었다.

점심은 그날의 식단에 따라 만든 반찬과 밥과 김치였다. 김치는 대통령의 고혈압을 생각해서 아주 작은 부분을 접시에 놔드렸는데 대통령은 늘 인수 옆에 놓인 접시에서 더 집어다 들곤 했다. 설거지할 때는 인수가 거들었다. 점심 후 한 시간은 대통령의 낮잠 시간이다. 대통령은 건강이 좋았을 때는 낮잠 후에 마당에 나가 꽃에 물을 주고 나무 손질도 했다.

저녁 식사는 오후 여섯 시에 했는데 주로 밥을

지었지만 때로는 국수를 들기도 했다. 부자가 똑같이 식성이 좋았기 때문에 반찬이 좋든 나쁘든 우리 식탁 위의 그릇들은 설거지가 필요 없이 깨끗이 비워졌다.

특히 떡국을 끓일 때면 부자가 대환영이었으며 인수는 세 그릇이나 들어 우리를 놀라게 했다. 처음 보는 사람에겐 염려될 정도로 떡국을 여러 그릇 들었지만, 문제는 없었다. 저녁 설거지를 마치면 보통 7시가 넘었다. 약 10분 정도 성경을 읽고 대통령의 저녁기도가 끝나면 8시에는 모두 침실에 들 수가 있었다.

그러나 이러한 시간에도 나를 안타깝게 하는 것은 자나 깨나 귀국 생각뿐인 대통령이 또 하루를 하와이에서 보낸 것을 못 견디게 괴로워하는 일이었다. 대통령은 인수에게 우리나라로 가는 데 드는 여비가 얼마인가를 묻고 "도대체 우리 땅에 가게는 되겠느냐"고 묻곤 했다.

나는 최백렬 씨와 윌버트 최 씨가 귀국 여비를 대주기로 했다고 여러 번 얘기했지만, 대통령은 "내가 우리 땅을 밟고 죽는 것이 소원인데 여기서 죽으면 어떻게 해? 모두 어떻게 할 작정이냐?" 하며 상기된 눈에 눈물이 가득 맺혔다. 나도, 인수도 울고 싶은 심정을 누르고 틀림없이 소원을 풀어드리겠노라고 설명해드려 겨우 침실로 돌아오곤 했다.

아침 식탁에서도 인수에게 멀리 우리나라 하늘을 가리키며 "저기가 서쪽이야. 바로 우리 한국 동포들이 사는 곳이야" 하며 대통령은 그쪽만 바라보고 있었다. "아니 식사는 안 드실 생각이세요?" 하고 내가 주의를 환기시켜드리면 매우 못마땅한 듯이 "왜?" 하고 대답하는 것이었다.

인수와 둘이 앉아서 이야기를 나눌 때면 "지금 우리 나라에선 남북 통일하려는 이가 누가 있지?" 하고 묻기도 하고, "내 소원은 백두산까지 걸어가 보는 거야" 하거나 "그래, 일본인들은 어떻게 하고 있누?" 하면서 종일토록 걱정하셨다. 그 때문에 나는 인수에게 "아버님의 병환은 바로 나라 걱정과 귀국할 생각뿐이니 항상 말조심하도록 해라" 하고 일러두었다.

나의 일과 중 빼놓을 수 없는 중요한 일들은 대통

령을 뵙고자 찾아오는 사람들을 맞고 우리의 어려운 처지와 생활을 걱정하며 도움을 주고 있던 분들에게 감사의 편지와 답장을 쓰는 일이었다. 이 중에는 맥아더 장군Douglas MacArhur, 해리스 목사F. B. Harris, 밴플리트 장군J. A. Vanfleet, 화이트 장군I. White 등 많은 미국 친지들이 있었다. 당시 공무로 하와이에 왔던 렘니쩌 장군L. Lemnitzer은 바쁜 일정 중 점심시간까지 할애하여 대통령을 찾아와 우리를 기쁘게 해주었다.

특히 고국에서 김이나 마른반찬을 선물로 보내주는 사람들, 그리고 봉투에 10달러, 5달러씩 넣어 보내주는 미주 동포들의 온정을 대할 때면 나도 모르게 눈물이 나곤 했다. 그 당시 우리나라에서는 대통령에 관해 터무니없는 낭설을 만들어내는 이가 있었다. 심지어 이화장에 있던 우리 물건을 몽땅 실어가버린 정치인도 있었다. 그렇지만 김인서 목사님 같은 용감한 분들은 그 후 〈망명 노인 이승만 박사를 변호함〉이라는 책자를 발간하여 우리에게 보내주었다.

인수와 함께 이야기를 나누다가도 가끔 대통령은 가슴에 북받치는 격정을 누를 길 없어 보였다. 그럴 때마다 인수는 "걱정하지 마십시오. 아버님의 뜻을 받들어 애국하는 젊은이들도 많습니다. 아버님의 뜻은 결코 아버님만에 그치는 것이 아니라 여러 애국 청년에 의하여 계승됩니다" 하고 위로해 드렸다. 그러면 "그래 그렇다. 그까짓 거 다 지나간 일이야" 하며 대통령은 마음을 가라앉혔다.

대통령이 임시정부의 초대 대통령으로 상해에 갈 때1920. 11. 16 중국인의 시체를 운반하던 배에 탈 수 있도록 주선해주었던 보스윅W. Borthwick 씨는 우리를 볼 때마다 내 핸드백에 대통령의 용돈을 넣어주곤 했다. 그는 대통령의 귀국하고 싶어 하는 마음을 동정한 나머지 우리를 배웅하고 돌아서면서 자기도 우는 것이었다.

마음이 귀국 문제로 가득 차 있던 대통령은 1961년 성탄절에 교포 김학성 씨가 초청해준 만찬회에서 어린이들을 보고 몹시 기뻐하며 "나는 곧 한국 간다" 라고 자랑 삼아 얘기하는 바람에 사람들이 모두 웃기도 했다. 하지만 내 가슴은 아팠다. 귀국이 쉽게 이루어지지 않는 것을 보고 대통령은 한일 관계에 자신이 끼칠 영향을 생각해서 귀국을 못 하게 누가 조종하고 있는 것으로 추측했다. (당시 박정희 정부는 미국의 강력한 권고로 일본과 국교 정상화를 위한 회담을 추진하고 있었다. 그러므로 일본에 대한 강경론자였던 이승만 전 대통령의 귀국은 박정희 정부는 물론 일본이나 미국 정부에도 부담이 되었을 것이다.)

그럴 때마다 "온 천하의 못된 놈들!" 하고 대통령이 흥분하기 시작하면 나는 최백렬 씨를 불렀다. 최 씨는 대통령이 가장 사랑하던 제자 중 한 사람으로 부자지간 같은 사이였다. 최 씨가 오면 대통령은 흥분을 가라앉혔다. 그렇지만 건강이 나빠질수록 귀국의 뜻은 점점 굳어만 갔다. "도대체 나를 앞으로 몇 년이나 더 붙잡아 둘 셈이야? 괘씸한 놈들 내가 걸어서라도 떠날 테야!" 역정을 내면서 신발을 찾는 일도 한두 번이 아니었다.

"지금 시기가 지나면 비행기 여행조차 불가능

하다"는 주치의 의견과 조국 땅을 밟아보고 죽겠다는 남편의 뜻에 따라 나는 1962년 3월 17일을 귀국 일자로 잡았다. 최 씨의 주선으로 모자와 오버코트가 준비되었고 우리는 짐을 꾸리기 시작했다. 집을 마련해준 월버트 최 씨는 그 집을 팔 예정이었다. 한편 최 씨는 우리를 위해 비행기표를 예약하였고 교포들이 몰려와서 석별의 정을 나누었다.

대통령은 출발 예정인 사흘 전부터 보행난으로 휠체어에 몸을 의지하게 되었다. 섭섭해하는 교포들에게 귀국의 기쁨을 감추지 못하면서 "우리 모두 서울 가서 만나세!" 하고 어린애처럼 좋아했다.

3월 17일.

출발의 날이 밝자 간단한 아침 식사를 끝낸 대통령은 외출복을 입고 소파에 앉았다. 그렇지만 이른 새벽 최백렬 씨 전화로 나와 인수는 박정희 정부가 대통령의 귀국을 막고 있다는 것을 알았다. 이윽고 최백렬 씨가 왔다. 우리 영사관에서 전화가 온 후 9시 반에 김세원 총영사가 왔다. 대통령 곁에는 최백렬 씨와 인수가 앉아 있었고 내 앞에는 월버트 최 씨와 김 총영사가 자리 잡았다.

의아하게 바라보는 대통령에게 최백렬 씨가 먼저 조용히 말했다.

"이 박사님, 우리나라 위해 일 많이 하시고 늘 우리나라 잘되기를 원하시고 계신 것을 우리가 잘 알고 있습니다. 지금 김세원 총영사가 말씀드리는 것을 바다와 같이 넓으신 마음으로 알아들으시고 나라를 위해 한 번 더 결심하셔야겠습니다."

그리고 나자 김 총영사는 정부의 귀국 만류 권고를 대통령에게 전달했다. 조용히 듣고 있던 대통령은 어느덧 눈이 충혈되어갔다. 이어서 "누가 정부 일을 하든지 정말 잘해가기를 바라오." 하는 것이 대통령 대답의 전부였다.

그런 뒤 휠체어에 몸을 기댄 후 다시는 혼자서 일어나지 못했다.

국적 없는 애국자

조국을 잃어버리고 독립을 찾기 위해 투쟁한 애국자 치고 행복했던 사람은 없었을 것이다. 풍찬노숙風餐露宿, 바람과 별과 달과 추위 속에서 한뎃잠을 자며 광복을 찾기 위해 헌신한 사람들이기 때문이다. 애국자, 더 정확히 말해서 애국투사는 불행했던 것이다. 우남 이승만은 평생 자기 직업을 누가 물으면 '애국자'라 했다 한다.

그의 파란만장한 90 평생을 돌이켜보면 일정한 직업을 가진 적이 없다. 왜 그랬을까. 젊은 시절은 봉건 조선왕국을 개혁하여 입헌 민주국가를 만들어야 한다며 거리에서 투쟁하다가 5년 7개월이나 감옥 생활을 했고, 석방되자 충정공 민영환의 밀서를 들고 미국 대통령을 만나 일본의 침략 야욕을 꺾어달라 청원하기 위해 미국으로 건너갔다.

청원이 실패로 돌아가고 조국이 망하자 그는 귀국하지 못하고 국제미아가 되었다. 일본 국적으로 변경하거나 미국 국적을 받아야 함에도 불구하고 그는 조국이 독립을 찾을 때까지는 '무국적자無國籍者'로 남겠다며 33년간의 망명 생활로 버티고 해방 후 대한민국 국적을 되찾은 것은 정부 수립 후 대통령이 된 77세 때였다. 그는 남들이 10년 넘게 걸려도 얻지 못하는 학사(조지워싱턴대), 석사(하버드대), 박사(프린스턴대)를 5년 만에 마친 천재였다.

하지만 무국적자라 취직을 못했다. 그는 국제외교로 독립을 찾아야 한다며 강대국 외교전을 펼쳤다. 하지만 성공한 적이 별로 없었다. 왜 그랬을까. "미국인, 특히 선교사들이나 언론계, 학계, 사회 각계의 미국인들의 도움은 평생 잊을 수 없지만 미국 정부의 도움은 받은 게 많지 않아 섭섭했다." 이것은 우남이 술회한 말이다.

미국인들의 도움은 많이 받았지만 해방될 때까지

미 정부의 도움을 받은 건 별로 없다는 말이다. 무슨 말일까. 이승만의 독립청원 외교가 성과를 못 본 데는 그럴만한 이유가 있었다. 실무진에서는 호의적으로 통과되는데 고위관리층에 가면 '비토'가 되곤 했다. 이승만이 그 이유를 안 것은 미국이 일본과 태평양전쟁을 치르면서 30년 전에 미·일 양국 간에 체결했던 비밀외교문서가 공개되고 나서였다.

소위 '태프트·가쓰라桂太郎 비밀협약문'이었다. 일본은 한국의 식민지배를 인정받는 대신 미국의 필리핀 군도의 지배권을 인정한다는 내용이었다. 그 때문에 실패를 거듭한 것이다. 게다가 고위관료층에는 친일파가 득실거렸다. 일본이 패망했으니 우남의 국제 외교전은 이제 성공해야 함에도 또 난관이 가로막았다. 미 정부 내의 고위 관료 중에는 소련의 스파이 내지는 친소파들이 득세하고 있었던 것이다. 미 군정 사령관 하지까지 그들의 훈령에 맞춰 남북 협상 좌우합작 신생 정부를 만드는 데 이승만과 김구는 골치 아픈 민족주의자이니 제쳐야 한다고 나설 정도였다. 그래서 해방 정국 내내 따돌림을 당해야 했던 것이다. 이승만은 그렇게 불행한 애국자였던 것이다.

나라가 위기에 처하면 용기 있는 지도자가 나타나고 그 용기 있는 자만이 위대한 행동을 낳고 위대한 역사를 창조한다 했다. 우남 이승만. 그는 분명 나라 잃은 위기의 시대에 홀연히 나타난 위대한 애국자였음은 분명하다. 그의 공과功過는 역사가들이나 그 방면의 연구자들이 철저히 분석하고 평가할 것이다. 다만 안타까운 것은 그의 공적과 과오가 무엇인지 밝혀놓지 않고 덮어놓고 매도한다든가 아니면 찬양하는 흑백논리의 재단이 안타까운 것이다.

우남은 남한만의 단독정부 수립을 주장하고 실천하여 남북이 분단되고 민족이 분열되는 씻을 수 없는 역사적 과오를 범했다고 비난하는 사람들이 있다. 해방 전후 북과 남은 신생 정부 탄생을 위한 준비가 완전한 차이가 나 있었다. 북은 이미 점령군이었던 소련군의 지도로 공산정부 조직을 완비하여 지하에 숨겨놓았으나 남은 백가쟁명하며 아수라장이 계속되고 있었기 때문이다. 좌우합작 남북단일통일정부 수립은 당연한 민족적 염원이지만 합작 협상을 한다면 모든 면에서 세력이 불리했던 남한은 북한에게 흡수 통합되게 되어 있었다.

우남의 남한 단독 정부안의 당위성 주장은 거기서 출발한다. 김구가 주장한 통일정부는 공산정부가 아니었다. 임정의 법통을 이은 민족주의 정부였다. 하지만 그건 이룰 수 없는 꿈에 불과했다.

그렇다면 비난하는 사람들의 주장대로 되었다면 우리나라 신생 정부는 북한이 준비한 공산당 정부로 단일화되었을지도 모른다.

나는 이 소설에서 정치인 이승만보다는 인간 이승만, 불굴의 애국자 이승만의 청년 시절을 그려내어 젊은 세대의 긍지와 용기를 북돋아주어 민족적 비전을 갖기를 바랐다. 이 소설은 1부와 2부로 계획하여 우선 우남이 대한민국 신생 정부를 수립하고 대통령에 취임하는 데까지를 1부로 삼아 탈고했고, 제2부는 정부 수립 이후와 6·25 그리고 4·19로 하야하여 하와이에서 운명할 때까지의 이야기들을 평가의 가감

없이 바른 역사의식으로 쓰려 했다.

이 소설을 시작하고 출간하기까지 사명감을 가지고 격려를 아끼지 않고 도움을 주신 최재분 선생께 감사를 전하고 싶다.

劉賢鍾

건국 대통령 이승만 2

1판 1쇄 발행 2024년 3월 26일

지은이　　　유현종

발행인　　　김성룡
편집　　　　김다혜
교정　　　　심영미
디자인　　　김민정
사진제공　　김일권

펴낸곳　　　가연
주소　　　　서울시 마포구 월드컵북로 4길 77, 3층 (동교동, ANT빌딩)
문의메일　　2001nov@naver.com
구입문의　　02-858-2217
팩스　　　　02-858-2219